PENSAR Y APRENDER

Libro 3

CURSO DE ESPAÑOL

Franco Esposito

EDITORIAL LOS MAYAS INC.

DISTRIBUTION LOS MAYAS INC.

C.P. 43002, Succ. Vilamont
Vimont, Laval, Québec
Canada
H7M 6A1

☎ (450) 668-5399 Fax.: (450) 668-7468
e-mail: distributionlosmayas@videotron.ca

PENSAR Y APRENDER:

Pensar y aprender – libro 1
Pensar y aprender – libro 2
Pensar y aprender – libro 3
Pensar y aprender – cuaderno de laboratorio (libros 1-2-3)
Pensar y aprender – casetes de laboratorio (libros 1-2-3)
Pensar y aprender – clave (libros 1-2-3)
Pensar y aprender – exámenes (libros 1-2-3)

Tercera edición, 2003

Fotos de la portada (Franco Esposito):
- el alcázar, Segovia, España
- mariachis en Taxco, México

Impreso en Canadá/Printed in Canada/Imprimé au Canada

ISBN: 2-921445-09-3

Depósito legal – Bibliothèque Nationale du Québec, 2003.
Depósito legal – Bibliothèque Nationale du Canada, 2003.

Agradezco a mi hermano Peter Esposito por su ayuda y consejos a lo largo de este proyecto. Doy las gracias también a Achille Joyal, Ana Ramírez Reyes, Ariel del Barrio, Enrique Muñoz, y María Eugenia Hamud por sus recomendaciones.

ÍNDICE

Mar Cantábrico
FRANCIA
Golfo de León
ANDORRA
Océano Atlántico
PORTUGAL
Lisboa
ESPAÑA
Madrid
La Coruña
Lugo
Oviedo
Santander
Vizcaya
Bilbao
San Sebastián
Guipúzcoa
Álava
Vitoria
Pamplona
Navarra
Pontevedra
Orense
León
Burgos
Logroño
Huesca
Gerona
Palencia
Soria
Zamora
Valladolid
Zaragoza
Lérida
Barcelona
Tarragona
Salamanca
Segovia
Ávila
Guadalajara
Teruel
Castellón
Cuenca
Castellón de la Plana
Toledo
Cáceres
Valencia
Badajoz
Ciudad Real
Albacete
Alicante
Murcia
Córdoba
Jaén
Sevilla
Huelva
Granada
Almería
Málaga
Cádiz
Golfo de Cádiz
Estrecho de Gibraltar
MARRUECOS
Menorca
Mallorca
Palma de Mallorca
Islas Baleares
Ibiza
Formentera
Mar Mediterráneo
ISLAS CANARIAS
Lanzarote
La Palma
Fuerteventura
Tenerife
Santa Cruz de Tenerife
Gomera
Las Palmas
Hierro
Gran Canaria
La Península Ibérica
ESPAÑA
Y
PORTUGAL
Capital Nacional
Pamplona • Ciudad
Navarra provincia

ESTADOS UNIDOS DE AMÉRICA
Tijuana
Baja California Norte
Ciudad Juárez
Chihuahua
MÉXICO
Baja California Sur
Golfo de California
Matamoros
Monterrey
Saltillo
Golfo de México
Mazatlán
Zacatecas
Tampico
San Luis Potosí
Aguascalientes
Cancún
Mérida
Yucatán
Cozumel
Guanajuato
Océano Pacífico
Puerto Vallarta
Guadalajara
Jalisco
México
Toluca
Veracruz
Puebla
Orizaba
Manzanillo
Cuernavaca
Taxco
Villahermosa
Ixtapa-Zihuatanejo
BELICE
Acapulco
Oaxaca
Tuxtla Gutiérrez
Puerto Escondido
GUATEMALA
HONDURAS
EL SALVADOR

vii

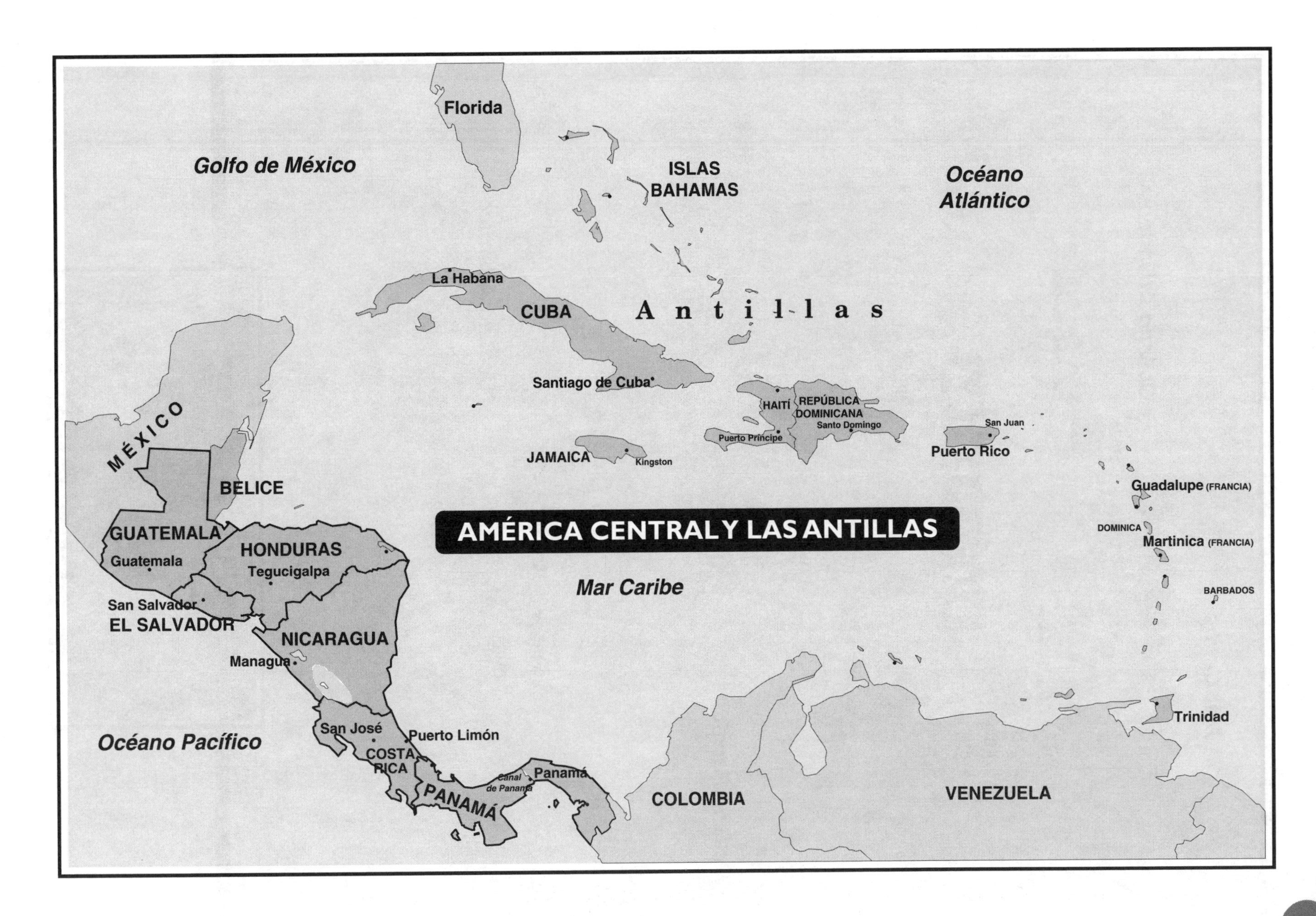
AMÉRICA CENTRAL Y LAS ANTILLAS
Florida
Golfo de México
ISLAS BAHAMAS
Océano Atlántico
La Habana
CUBA
A n t i l l a s
Santiago de Cuba
HAITÍ
REPÚBLICA DOMINICANA
Santo Domingo
Puerto Príncipe
San Juan
Puerto Rico
JAMAICA
Kingston
Guadalupe (FRANCIA)
DOMINICA
Martinica (FRANCIA)
BARBADOS
Trinidad
MÉXICO
BELICE
GUATEMALA
Guatemala
HONDURAS
Tegucigalpa
San Salvador
EL SALVADOR
NICARAGUA
Managua
Mar Caribe
San José
COSTA RICA
Puerto Limón
Océano Pacífico
Canal de Panamá
Panamá
PANAMÁ
COLOMBIA
VENEZUELA

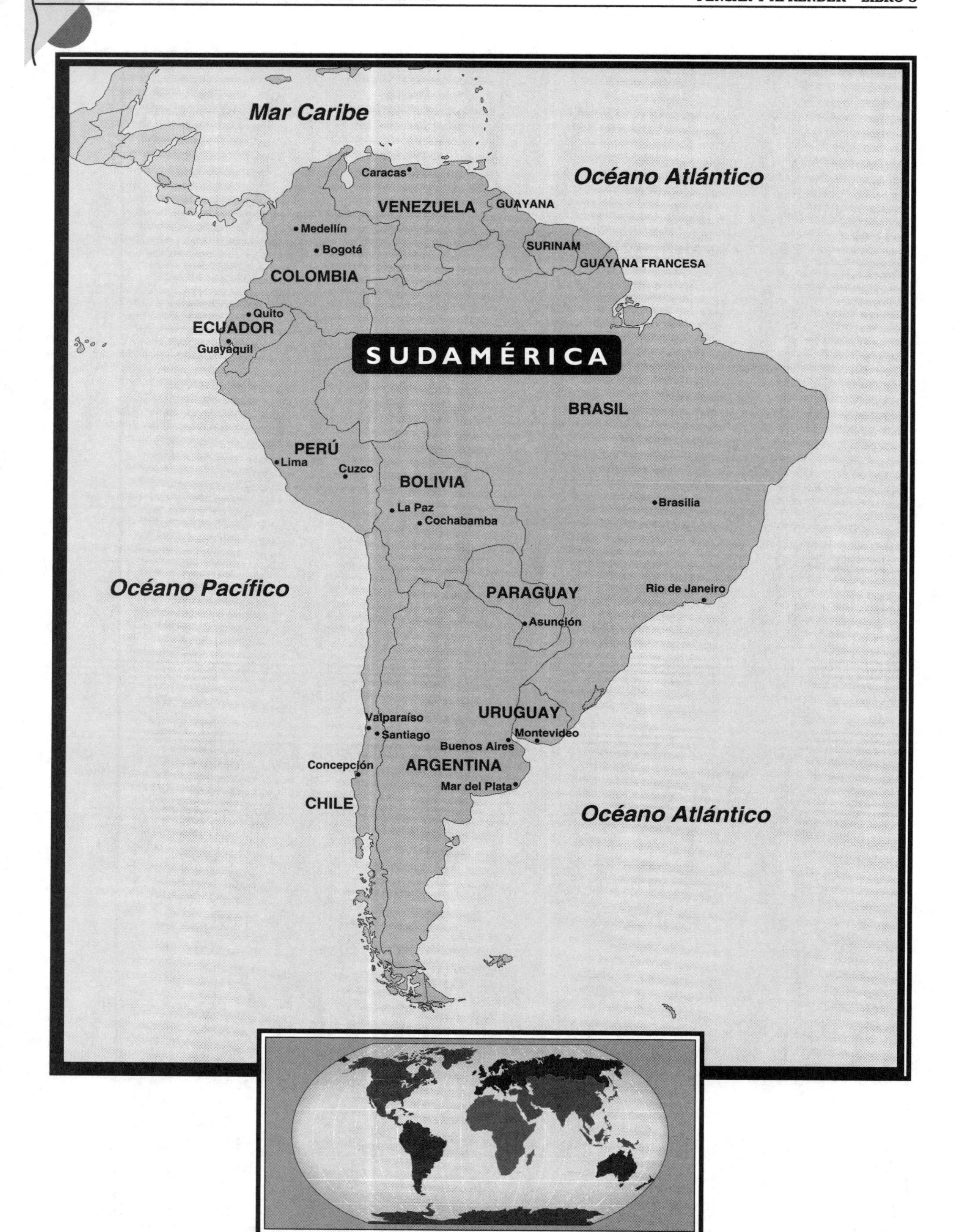
Mar Caribe
Océano Atlántico
Caracas
VENEZUELA
GUAYANA
Medellín
Bogotá
SURINAM
GUAYANA FRANCESA
COLOMBIA
Quito
ECUADOR
Guayaquil
SUDAMÉRICA
BRASIL
PERÚ
Lima
Cuzco
BOLIVIA
La Paz
Cochabamba
Brasilia
Océano Pacífico
PARAGUAY
Rio de Janeiro
Asunción
URUGUAY
Valparaíso
Santiago
Montevideo
Buenos Aires
Concepción
ARGENTINA
Mar del Plata
CHILE
Océano Atlántico

ASOCIACIÓN DE PALABRAS

Encuentra y escribe las palabras que tienen una asociación semántica con las palabras que están a la izquierda.

1) asar	**un pollo**	mineral
2) huevos	______________________	frío
3) agua	______________________	maíz
4) tacos	______________________	muy caliente
5) pan	______________________	fritos y tocino
6) rositas de	______________________	lloviendo
7) una sopa	______________________	un pollo
8) en verano hace	______________________	tostado
9) en invierno hace	______________________	comida mexicana
10) está	______________________	calor

Improvisa cortas conversaciones con tu compañero usando las palabras asociadas.

REPASO DEL PRETÉRITO Y DEL IMPERFECTO

USO DEL PRETÉRITO

El **pretérito** de indicativo se usa para expresar *acciones terminadas en un pasado que está separado del presente por un período de tiempo*: una semana, un mes, un día, una noche, un año, etc. Por eso, el **pretérito** se usa con varias expresiones temporales como: *la semana pasada, ayer, anoche, el año pasado, el mes pasado, el martes pasado, en 1988, en aquel momento, de repente, entonces,* etc. En otras palabras, **el pretérito se usa para expresar acciones terminadas en el pasado en un tiempo preciso, expresado o implícito.** Se sabe **cuando** ocurrió la acción.

Ayer **hablé** por teléfono con mi hermana.
El sábado pasado **trabajé** hasta las seis.
Después del curso **volví** a casa.
Ayer **comimos** una paella.
Viví en México *desde 1970 hasta 1982.*
Los Juegos Olímpicos de *1992* **tuvieron** lugar en Barcelona, España.

USO DEL IMPERFECTO

El **imperfecto** se utiliza:

1) para hacer descripciones (se usan a menudo estos verbos: *ser, estar, haber, tener*):

Las tortugas que vimos en Ecuador **eran** enormes.
Los indígenas **estaban** vestidos con bonitos ponchos.
Había mucha gente en la calle.
Ayer, cuando me levanté, **hacía** fresco.

1

2) para expresar un estado mental o emocional (se usan a menudo estos verbos: *querer, pensar, parecer, esperar, saber, creer, conocer*):

Marisa **estaba** preocupada por la condición de su padre.
Rafael **quería** ir a la fiesta con Pilar.
Yo **pensaba** que estabas en casa.
En aquel entonces, todo nos **parecía** fácil.
Esperábamos verte en la fiesta.

1

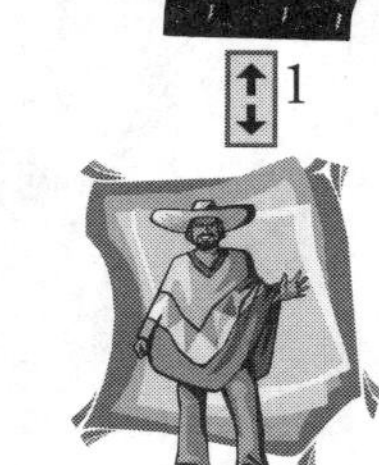

3) para expresar una acción **continua** (**progresiva**) en el pasado, sobre todo si es interrumpida por otra acción, o si ocurre simultáneamente con otra acción:

Leía un libro cuando *se apagaron* las luces.
(una acción interrumpe la otra [*se apagaron* interrumpe la acción de **leer**])
Mientras algunos chicos **jugaban**, otros **descansaban.**
(las dos acciones [**jugar** y **descansar**] ocurren simultáneamente)

3

encender ≠ apagar

4) una acción **habitual**, una acción que se **repite** en el pasado:

Antes de casarme no **fumaba**.
Los niños **iban** a la escuela todos los días.
Nos veíamos casi todos los sábados.

5) con **expresiones de tiempo** (*la hora del día, la fecha, la estación del año, la edad*):

Eran las dos de la tarde. (la hora) **Era** el cuatro de enero de 1995. (la fecha)
Era de invierno. (la estación del año)
Soledad **tenía** veintidós años cuando se graduó de la universidad. (la edad)

6) en el lenguaje coloquial, (en lugar del presente de indicativo) para expresar cortesía:

Venía (yo) a pedirle su ayuda, si es que no está ocupado.
—¿Qué **quería** usted?
—Un diccionario francés-español.

Repasa las conjugaciones del **pretérito** y del **imperfecto** (págs. 142-144) y completa cada frase con el tiempo adecuado del verbo entre paréntesis.

1) Antes (nosotras) **íbamos** (ir) a ese bar a menudo.
2) Anoche (nosotros) __________________ (ir) a bailar.
3) Cuando (yo) ______________ (ser) niña, ____________________ (divertirse) mucho.
4) —¿Dónde __________________ (pasar) la noche Elena?
—No sé, lo único que puedo decir es que no ________________ (dormir) aquí.
5) La construcción del canal de Panamá ______________ (durar) diez años (1904-1914).
6) Guadalupe le __________________ (pedir) la cuenta al camarero.
7) Pablo Ruiz Picasso __________________ (nacer) en 1881 y ____________________ (morir) en 1973.
8) Todos los días (él) __________________ (escribir) unas páginas.
9) Pepe caminaba tranquilamente cuando ____________ (resbalar).
10) __________________ (Ser) ya las once y los niños todavía no ________________ (dormir).
11) —¿Qué __________________ (hacer - usted) este fin de semana?
—Bueno, __________________ (pasar) un fin de semana muy tranquilo.
12) —¿Qué __________________ (hacer - tú) cuando te llamé?
—__________________ (Estar) comiendo.
13) Mis amigos __________________ (tener) la costumbre de ir de pesca los sábados.
14) Estaba con nosotros pero de repente ____________________ (desaparecer).
15) __________________ (Conocer) a mi esposa en la universidad.
16) En 2002 Brasil__________________ (ganar) el Mundial por quinta vez.
17) Cuando (yo) __________________ (despertarse) esta mañana, ________________ (hacer) un calor tremendo.
18) Antes (nosotras) __________________ (ir) al cine cada semana.
19) El verano pasado __________________ (llover) muy poco.
20) Cuando Cristóbal Colón __________________ (partir) de España, no ________________ (saber) que iba a descubrir un nuevo continente.
21) Las calles __________________ (estar) llenas de gente.

2

6

9

13

16

17

19

POR – PARA

POR

Se usa para expresar / indicar:

1) (a) un lugar no muy bien delimitado, o (b) movimiento dentro de un lugar determinado.
   a) **Por** allá no hay nada. / Eso está **por** Buenos Aires.
   b) Los chicos corren **por** el parque.

5 a)

2) el precio, el valor, el beneficio de una cosa.
   Compré la blusa **por** cuarenta dólares.
   El banco ofrece intereses de nueve **por** ciento (9%).
3) la causa o el motivo.
   Vienen aquí **por** buenas razones.
   Los padres castigan al niño **por** su desobediencia.
4) la opinión que tenemos de una persona o de una cosa.
   Fernando pasa **por** ser hombre de bien.
5) a) la duración, un lapso de tiempo.
   Vamos de vacaciones a Japón **por** tres semanas.
   Este cambio es sólo **por** unos días.

6

   b) fecha o tiempo *aproximado.*
   Vendrá **por** el 15 de julio.
6) medio de transporte.
   Mandé el paquete **por** tren.

8

7) en favor de / en lugar de / en nombre de alguien.
   Los soldados luchan **por** la patria.
   Amigos, yo pago **por** todos.
8) la voz pasiva.
   América fue descubierta **por** Cristóbal Colón.
9) expresiones preposicionales de **lugar**: *por encima de, por debajo de, por entre, por delante.*
   El gato pasó **por encima de** la cama.
10) tiempo en ciertas expresiones: *por la mañana, por la tarde por la noche.*
   Mi madre trabaja ***por* la mañana** y mi padre ***por* la tarde.**

PARA

Se usa:

1) con verbos, adjetivos o sustantivos que indican aptitud, valor o utilidad.
   Un diccionario sirve **para** varias cosas.
2) para expresar su opinión o dar su punto de vista.
   Para nosotros, Estela tiene razón.
3) para indicar tiempo / la fecha límite / precisa).
   Tenemos que terminar **para** mañana / **para** el 2 de marzo.
4) para expresar la finalidad / la meta (de una acción)
   Margarita estudia **para** ser contable.
5) para expresar el destino (el término de un viaje o de un movimiento)
   El tren sale **para** Valencia.
   Se fue **para** la oficina.

6

6) con el auxiliar *estar* (*estar para*) con el significado de "estar a punto de".
   Diego *estaba* **para** salir cuando sonó el teléfono.
   Cuando llegamos a casa *estaba* **para** nevar.

una cosa con destino final => utiliza "PARA"

Completa cada frase con la preposición **por** o **para** que pide el contexto.

1) Esta casa se vende **por** ciento cincuenta mil dólares.

2) Regreso a mi país para seis meses.

3) Voy a mandar la mercancía por avión porque es más rápido.

4) Este coche ya no sirve para nada.

5) Para mí, esta bicicleta no vale más de cien dólares.

6) —¿Dónde están tus herramientas?
—Están por allí.

7) —¿Por qué estudias español?
—Porque me gusta la lengua española y además quiero hacer un viaje a Costa Rica.

8) —¿Por qué estudia Pepe?
—Estudia para ser mecánico.

9) —¿A qué hora sale el autobús para San Sebastián?
—A las once.

10) Vendedor: —Te lo dejo para cuatro mil intis (unidad monetaria del Perú).
Cliente: —No, no. ¡Es demasiado caro!

11) Don Quijote de la Mancha fue escrito por Miguel de Cervantes.

12) Este electrodoméstico sirve para muchas cosas.

13) —Deja el dinero en tu bolsillo. Yo pago para ti.
—Bueno, gracias. Yo voy a pagar para ti la próxima vez.

14) El cartero no tiene nada para nosotros.

15) Vamos a pasar para Puebla y desde allí podemos hacer una excursión al Popocatépetl, el pico más famoso de México.

16) Tienen que estar allí para el diez de este mes. (fecha precisa)

17) Novio: —No me haces caso y además me crees tonto.
Novia: —¡Por eso te dejo y no quiero verte más!

18) Por la mañana estudio y Por la tarde trabajo.

19) Tengo un regalo para cada persona.

20) Estaba para llover, pero luego salió el sol.

FUTURO – VERBOS REGULARES

SUJETO	HABL*AR*	COM*ER*	VIV*IR*
yo	hablar**é**	comer**é**	vivir**é**
tú	hablar**ás**	comer**ás**	vivir**ás**
él, ella, usted	hablar**á**	comer**á**	vivir**á**
nosotros/as	hablar**emos**	comer**emos**	vivir**emos**
vosotros/as	hablar**éis**	comer**éis**	vivir**éis**
ellos/ellas/ustedes	hablar**án**	comer**án**	vivir**án**

¿CÓMO SE FORMA EL FUTURO?

Se añaden las terminaciones **é, ás, á, emos, éis, án** al **infinitivo** del verbo. Estas terminaciones provienen del **presente** del auxiliar **haber** (h**e**, h**as**, h**a**, h**emos**, hab**éis**, h**an**) que se utiliza con el participio para formar el pretérito perfecto (h**e** comido, h**as** comido, etc…)

Todas las terminaciones del futuro llevan acento excepto la terminación que corresponde a nosotros/as.

USO DEL FUTURO

El **futuro** se usa para:

1) indicar que una acción va a ocurrir (pasar) en el **futuro**.

   El carnaval **durará** una semana.
   La fiesta **continuará** hasta el amanecer.
   Si hace buen tiempo, **iremos** al campo.

1

2) indicar probabilidad, conjeturas, suposición [vacilación o hipótesis] en el momento en que se habla.

2a

   a) Pedro: —¿Qué hora es?
      Laura: —No sé exactamente.
      Serán las doce. (probabilidad)

   b) Creo que Jaime **estará** estudiando para su examen de inglés. (suposición)

3) expresar sorpresa, estupor, en frases interrogativas y exclamativas.

   a) —¿**Llegarán** hoy de sus vacaciones?
      —Creo que sí.

   b) ¡**Será** imbécil!
      ¡**Serán** tontos!

3a

Completa en el **futuro** con el verbo más adecuado.

quedarse, preguntar (2), regalar (2), esperar (2), ser, llamar, estar, entregar, visitar, engordar

1) —Papá, ¿qué me **regalarás** por mi cumpleaños?
—Si eres bueno te ________________ un cochecito.
2) —¿Dónde me ________________ ustedes?
—Te ________________ en el café de la esquina.
3) —¿Quién sabe dónde ________________ (ellos) ahora?
4) Si tenemos un trabajo que corresponde a sus habilidades, le ________________.
5) —¿Qué hora es?
—________________ las seis de la tarde.
6) Tienen que presentarse al aeropuerto a las ocho de la mañana y allí un empleado de la compañía Iberia les ________________ los billetes.
7) Esta noche los niños ________________ en casa porque tienen muchas tareas que hacer.
8) Durante las vacaciones ________________ a mis parientes que viven en Ecuador.
9) Si continúas comiendo tanto, seguramente ________________.
10) —¿Qué le ________________ usted exactamente?
—Le ________________ si ha tomado mi dinero.

escribir, jugar, almorzar, levantarse, ganar, ir, necesitar, volver (2), comprender, dar

11) El año próximo (yo) ________________ un libro.
12) Creo que los colombianos me ________________ cuando hable con ellos.
13) Mañana (yo) ________________ temprano porque el avión despega a las siete de la mañana.
14) (Nosotras) ________________ en un buen restaurante.
15) El domingo (nosotras) ________________ un partido de tenis.
16) —¿A qué hora ________________ (tú) esta noche?
—________________ a medianoche.
17) Cuando nos veamos, (yo) te ________________ la dirección del señor Fernández.
18) —¿Cuánto dinero te hace falta para el viaje?
—________________ unas veinte mil pesetas.
19) Si jugamos bien, ________________ el partido.
20) Si Ramón llega antes de las nueve, (nosotros) ________________ al cine juntos.

FUTURO – VERBOS IRREGULARES

SUJETO	SABER	PODER	QUERER	CABER
yo	sa**br***é*	po**dr***é*	que**rr***é*	ca**br***é*
tú	sa**br***ás*	po**dr***ás*	que**rr***ás*	ca**br***ás*
él/ella/usted	sa**br***á*	po**dr***á*	que**rr***á*	ca**br***á*
nosotros/as	sa**br***emos*	po**dr***emos*	que**rr***emos*	ca**br***emos*
vosotros/as	sa**br***éis*	po**dr***éis*	que**rr***éis*	ca**br***éis*
ellos/as/ustedes	sa**br***án*	po**dr***án*	que**rr***án*	ca**br***án*

El auxiliar **haber** se conjuga como **saber**.

Haber: ha**br***é*, ha**br***ás*, ha**br***á*, ha**br***emos*, ha**br***éis*, ha**br***án*

¡OJO! Para formar la raíz de estos verbos se omite la -**e**- de la terminación: sab**e**r - sabré, pod**e**r – podré, quer**e**r – querré, cab**e**r – cabré.
Las terminaciones son las mismas que las de los verbos regulares.

Completa con el **futuro** del verbo más adecuado.

terminar, poder (5), saber (2), caber (2), ir, haber, querer, cerrar

1

1) Si mañana hay huelga de conductores de autobuses, **habrá** muchas personas ausentes en la fábrica.

5

2) Nadie ________________ hacer todo este trabajo para mañana.
3) Esta sucursal ________________ el año próximo. Una vez cerrada ya (nosotros) no ________________ utilizar los servicios a los cuales estábamos acostumbrados.
4) Somos demasiados. No ________________ todos en el ascensor.

6

5) —¿Cuándo ________________ usted pagarme?
—La semana próxima.
6) En el comedor no ________________ más de 6 personas.
7) Dentro de poco (nosotros) ________________ quién es el nuevo líder.

10

8) (Yo) ________________ a verte cuanto antes.
9) Nadie sabe cómo ________________ todo esto.
10) Carlos no ________________ ayudarnos con la mudanza antes del sábado porque está ocupadísimo.
11) A pesar de las declaraciones oficiales, lo cierto es que nadie ________________ lo que verdaderamente pasó.

13

12) El año próximo (ellos) no ________________ ir de vacaciones.
13) Las chicas ________________ seguramente ir al zoo porque les gustan los animales.

LOCUCIONES Y PROVERBIOS

Completa cada locución o proverbio.

es rey en su casa / su cruz / pocas palabras bastan / un vaso de agua / su tema / al gato / mona se queda / las ramas / no muele molino / una ostra

1) aburrirse como **una ostra**
2) agua pasada no muele molino
3) ahogarse en un vaso de agua
4) Al buen entendedor, pocas palabras bastan
5) Andarse por las ramas
6) Aunque la mona se vista de seda mona se queda
7) Buscarle cinco pies al gato
8) Cada cual es rey en su casa
9) Cada cual lleva su cruz
10) Cada loco con su tema

1

1

2

molinos de viento

7

8

3

6

10

5

9

FUTURO – VERBOS IRREGULARES

SUJETO	TENER	PONER	SALIR	VENIR
Yo	ten**dr***é*	pon**dr***é*	sal**dr***é*	ven**dr***é*
tú	ten**dr***ás*	pon**dr***ás*	sal**dr***ás*	ven**dr***ás*
él/ella/usted	ten**dr***á*	pon**dr***á*	sal**dr***á*	ven**dr***á*
nosotros/as	ten**dr***emos*	pon**dr***emos*	sal**dr***emos*	ven**dr***emos*
vosotros/as	ten**dr***éis*	pon**dr***éis*	sal**dr***éis*	ven**dr***éis*
ellos/as/ustedes	ten**dr***án*	pon**dr***án*	sal**dr***án*	ven**dr***án*

Valer se conjuga como **tener**.

Valer: val**dr***é*, val**dr***ás*, val**dr***á*, val**dr***emos*, val**dr***éis*, val**dr***án*

¡OJO! Para formar la raíz de estos verbos se elimina la **vocal -e-** de la terminación (ten**e**r, pon**e**r, val**e**r, sal**i**r, ven**i**r) y se sustituye la letra **-d-**.
Las terminaciones son las mismas que las de los verbos regulares.

Completa con el **futuro** del verbo más adecuado.

tener (2), ponerse, salir (2), venir, valer (2)

1) Nosotros no **saldremos** este fin de semana.
2) El tren para Zaragoza __________________ de la estación en una hora y quince minutos.
3) —¿Cuánto __________________ este Mercedes Benz?
—Nada menos que ochenta mil dólares.
4) Si quiero conservar mi puesto, ____________ que trabajar mejor.
5) —¿Cuántos años tiene Margarita?
—__________________ unos quince años.
6) Si no llegas a tiempo, (yo) ___________________________ furioso.
7) —¿__________________ usted a visitarnos?
—¡Sí, cómo no!
8) En dos o tres años esta computadora no ____________________ casi nada.

4

6

8

FUTURO – VERBOS IRREGULARES

SUJETO	HACER	DECIR
yo	har*é*	dir*é*
tú	har*ás*	dir*ás*
él, ella, usted	har*á*	dir*á*
nosotros/as	har*emos*	dir*emos*
vosotros/as	har*éis*	dir*éis*
ellos/ellas/ustedes	har*án*	dir*án*

¡OJO! Las raíces de estos verbos son completamente irregulares, pero las terminaciones son las mismas que las de los verbos regulares.

Completa en el **futuro** con la forma del verbo más adecuado.

querer, posponer, hacer, tener, estar (2), poder, emigrar, decir, ir, bailar, escribir, buscar

1) El año próximo (ellos) no **podrán** ir de vacaciones.
2) Esta noche cantaremos y ______________ hasta la madrugada.
3) —¿Qué ______________ haciendo (ellas)?
   —______________ estudiando para sus exámenes.
4) Los chicos ______________ asistir a algún match de tenis.
5) —¿Qué ______________ ustedes después de la graduación?
   —Primero ______________ de viaje y después ______________ trabajo.
6) Si llego a dominar el inglés, ______________ a Londres.
7) —¿Qué ______________ tu esposa cuando sepa que has estropeado otro coche.
   —¡No quiero ni pensarlo!
8) —No, no te olvidaré. Pensaré siempre en ti y te ______________ a menudo.
9) Vosotros ______________ que trabajar hasta muy tarde.
10) Si vienen a visitarnos, ______________ nuestro viaje.

2

3

6

7

¿QUÉ HARÁS SI RECIBES...?

Instrucciones: El año próximo cumplirás dieciocho años. ¿Qué harás si recibes las cosas siguientes por tu cumpleaños? Primero encuentra el verbo más adecuado en cada situación y después improvisa diálogos con otro(a) estudiante. Usa el **futuro** para empezar la conversación. Los verbos son:

escuchar, posponer, leer, sacar, hacer (los deberes/la contabilidad), comprar, viajar, llevar, jugar, colgar, preparar, manejar, tocar, ponerse, aceptar ≠ rechazar

comprar 1) tres mil dólares

_______________ 2) un libro de cocina española

_______________ 3) una botella de perfume francés

_______________ 4) un billete de avión (ida y vuelta) a cualquier parte del mundo

_______________ 5) una raqueta de tenis

_______________ 6) una guitarra

_______________ 7) una pintura

_______________ 8) un coche deportivo

_______________ 9) un abrigo de visón

_______________ 10) una novela

_______________ 11) una oferta de trabajo de tu ex novio/a que acaba de abrir una tienda de ropa para mujeres.

_______________ 12) una invitación de un/a amigo/a para cenar en un restaurante. Desgraciadamente ya tienes compromiso con otro/a amigo/a ese día.

_______________ 13) una máquina fotográfica de 35 mm.

_______________ 14) un disco de tu artista preferido

_______________ 15) una computadora

Ejemplo:

est. 1 —¿Qué **harás** si recibes *tres mil dólares* por tu cumpleaños?
est. 2 —Primero **compraré** un reloj nuevo porque el que tengo no funciona bien.
est. 1 —Y después, ¿qué **comprarás**?
est. 2 —**Compraré** alguna ropa nueva y con el resto **tendré** que pagar mis estudios universitarios el año próximo...

HACE + EXPRESIONES DE TIEMPO

hace + período de tiempo + que + presente de indicativo

Esta estructura se utiliza para indicar que una acción empezó en el pasado y continúa en el presente.

—¿Hace cuánto tiempo *que* Luis *vive* en Caracas?

—**Hace dos años** *que vive* en Caracas.

(La acción empezó en el pasado y continúa en el presente; Luis todavía vive en Caracas.)

Observa las diferentes maneras de formular la **pregunta** y la **respuesta**.

—**¿Hace cuánto tiempo** *que* Luis *vive* en Caracas?
—**¿Cuánto tiempo hace** *que* Luis *vive* en Caracas?
—¿**Desde cuándo** *vive* Luis en Caracas?

—**Hace dos años** *que* Luis *vive* en Caracas.
—Luis *vive* en Caracas **desde hace** dos años.

hace + período de tiempo + que + tiempo pasado (de indicativo)

Se usa para expresar la misma idea en el pasado:

Hacía tres meses *que* ya no *frecuentaba* ese bar.
Hacía cinco años *que vivía* allí cuando *decidió* volver a su patria.

verbo en un tiempo pasado de indicativo + hace + período de tiempo

Esta estructura indica el período de tiempo que ha transcurrido. La acción está terminada (no continúa en el presente).

Fui a California **hace cinco años.**
(Cinco años han transcurrido desde que fui a California.)
—¿Cuándo fuiste a ese bar por última vez?
—*Fui* a ese bar **hace dos meses.**
(Dos meses han transcurrido desde que fui a ese bar.)

Contesta a las preguntas usando la estructura:

hace + período de tiempo + que + presente de indicativo

1) —¿Cuánto tiempo hace que estáis aquí? (hora y media)
— **Hace hora y media que estamos aquí.**

2) —¿Cuánto tiempo hace que no veis a Fernando? (un año)
— Hace un año que no ve a Fernando

3) —¿Cuánto tiempo hace que estudias español? (dos años)
— Hace dos años que estudio español

4) —¿Cuánto tiempo hace que no nada Conchita? (tres meses)
— Hace tres meses que no nada conchita

5) —¿Cuánto tiempo hace que te quedas en casa? (una semana)
— Hace una semana que me quedo en casa

6) —¿Hace cuánto tiempo que no fumas? (seis meses)
— **Hace seis meses que no fumo.**

7) —¿Hace cuánto tiempo que conduces? (poco tiempo)
— Hace poco tiempo que no condusco
—Sí, se te nota.

8) —¿Hace cuánto tiempo que no ves a tu hermano? (cuatro años)
— Hace cuatro años que no ve a mi hermano

9) —¿Hace cuánto tiempo que juegas al tenis? (muchos años)
— Hace muchos años que jugo al tenis

10) —¿Hace cuánto tiempo que está lloviendo? (varios días)
—

Contesta a las preguntas usando las dos posibilidades que se dan entre paréntesis (# 11-15).

11) —¿Desde cuándo tenemos este gobierno? (2002 / varios años)
—**Tenemos este gobierno desde 2002.**
—**Tenemos este gobierno desde hace varios años.**

12

12) —¿Desde cuándo nos espera usted aquí? (las dos / media hora)
—__________
—__________

14

13) —¿Desde cuándo no visita usted su patria? (1976 / muchos años)
—__________
—__________

14) —¿Desde cuándo tienes una motocicleta? (el miércoles / tres días)
—__________
—__________

15

15) —¿Desde cuándo no nieva? (febrero / varias semanas)
—__________
—__________

Contesta a las preguntas usando la estructura:

hacía + período de tiempo + que + tiempo pasado (de indicativo)

17

16) —¿Hacía mucho tiempo que no venías por aquí? (varios meses)
—**Hacía varios meses que no venía por aquí.**

17) —¿Cuánto tiempo hacía que ustedes se conocían antes de casarse? (un año)
—__________

18) —¿Cuánto tiempo hacía que no hablabas con Ramona? (dos meses)
—__________

19) —¿Cuánto tiempo hacía que no bebías alcohol? (como dieciocho meses)
—__________

20) —¿Cuánto tiempo hacía que no visitabas a tus abuelos? (como un año)
—__________

21) —¿Cuánto tiempo hacía que no pasabas tus vacaciones en México? (siete años)
—__________

22) —¿Cuánto tiempo hacía que ustedes vivían es ese piso? (quince años)
—____

23) —¿Cuánto tiempo hacía que no comías? (unas veinticuatro horas)
—____

24) —¿Hacía mucho tiempo que no salías con tu amigo Luis? (un par de meses)
—____

Contesta a las preguntas usando la estructura siguiente.

verbo en un tiempo pasado de indicativo + hace + período de tiempo

25) —¿Cuándo fuiste al cine por última vez? (un mes)
—**Fui al cine hace un mes.**

26

26) —¿Cuándo fuiste a la playa? (dos semanas)
—____

27) —¿Cuándo limpiaste la casa? (tres días)
—____

27

28) —¿Cuándo se fundó esa organización? (un año)
—____

29) —¿Cuándo empezaron ustedes a trabajar? (cuatro días)
—____

30

30) —¿Cuándo huyeron de la cárcel los prisioneros? (cinco horas)
—____

31

31) —¿Cuándo hizo usted construir su casa? (seis meses)
—____

32) —¿Cuándo le devolviste el dinero? (tres semanas)
—____

33) —¿Cuándo perdiste tu cartera? (una semana)
—____

33

34) —¿Cuándo recibiste el telegrama? (ocho horas)
—____

35

35) —¿Estabas casado hace dos años?
—Sí,____

VERBOS ACTIVOS (NEUTROS) Y VERBOS PRONOMINALES

REPASO: Un «se» al **final** de un **infinitivo** señala un verbo **pronominal**.

lavar (verbo activo / neutro)
lavar**se** (verbo pronominal)

Muchos verbos pueden utilizarse en la forma **pronominal**. Estos verbos tienen como **complemento** un **pronombre** de la **misma persona** que el **sujeto**.

(Yo) lavo el coche. (lavar – verbo activo / neutro)

(Yo) **me** lavo las manos. (lavarse – verbo pronominal)

REPASO: Conjugación de los verbos **pronominales regulares** (**presente** de indicativo):

yo	***me***	lavo las manos.
tú	***te***	lavas las manos.
él, ella, usted	***se***	lava las manos.
nosotros/as	***nos***	lavamos las manos.
vosotros/as	***os***	laváis las manos.
ellos, ellas, ustedes	***se***	lavan las manos.

Completa estas frases usando la forma **activa / neutra** o la forma **pronominal**, según el significado de la frase. Emplea el verbo en el tiempo apropiado.

1a

lavar / lavarse

1) a) Ellas **lavan** la ropa.
   b) Él **se lava** el pelo.

2b

perder / perderse

2) a) Ayer (yo)__________________ el autobús.
   b) Ayer (yo) __________________ en la ciudad.

levantar / levantarse

3a

3) a) Anteayer Linda __________________ a las siete en punto.
   b) Pedro__________________ la mano para responder a la pregunta del profesor. (pretérito)

3b

despertar / despertarse

4) a) Los abuelos ____________________________ a las siete. (futuro)
   b) Los abuelos ____________________________ a sus nietos. (futuro)

quitar / quitarse

5) a) La madre le ____________________ la camisa al niño. (presente)
   b) Ella ____________________ la blusa. (presente)

poner / ponerse

6b

6) a) (Yo) ____________________ la chaqueta en el guardarropa. (futuro)
   b) (Yo) ____________________ los pantalones azules. (futuro)

mirar / mirarse y peinarse

7a

7) a) (Nosotras) __________________________ en el espejo y __________________________ (el pelo). (pretérito)
   b) (Nosotras) __________________________ a la gente pasando por la calle. (pretérito)

quedar / quedarse

9b

8) a) El cine ____________________ bastante lejos de aquí. (presente)
   b) Hoy Estela ________________ en casa toda la mañana. (presente)

bañar / bañarse

9) a) Pedro siempre ___________________ a su hermanito. (imperfecto)
   b) Pedro ______________________ en el mar a menudo. (imperfecto)

hacer / hacerse

10b

10) a) —¿Qué ___________________ (tú) los fines de semana? (presente)
    —A menudo voy al campo con mi familia.

    b) Mi abuelo ______________________ cada día más viejo. (presente)

10a

sentir / sentirse (2)

11) a) —¿Cómo ____________________ usted? (presente)
—Estoy resfriada.

b) (Yo) ____________________ un dolor tremendo en la espalda. (presente)

c) —En la casa ____________________ ruidos extraños.
—¿Estará encantada? (presente - tercera persona del plural)

11a

11c

querer / quererse

12) a) Los enamorados ____________________ mucho. (imperfecto)

b) (Yo) ____________________ mucho a mis abuelos. (imperfecto)

12a

beber / beberse

13) a) Enrique ____________________ una copa de vino todos los días. (presente)

b) Anoche Enrique ____________________ una botella de vino.

13a

cuidar / cuidarse

14) a) El señor Castillo tiene que ____________________ porque no está muy bien de salud. (presente)

b) La enfermera____________________ al paciente. (presente)

14b

dormir / dormirse

15) a) Anoche el guardia ____________________ durante el trabajo.

b) Los chicos ____________________ nueve horas cada noche. (presente)

15a

ir / irse

16) a) Ellos ____________________ a México a menudo. (presente)

b) Ellos ____________________ de aquí porque no les gusta el invierno. (futuro)

16b

16a

EL MODO IMPERATIVO

El modo **imperativo** se usa cuando queremos dar **órdenes** (**mandatos**) o cuando pedimos algo a otra/s persona/s. Este modo puede formarse con los pronombres personales siguientes: **tú**, **usted**, **nosotros/as**, **vosotros/as**, y **ustedes**.

EL IMPERATIVO DE «TÚ»

Para formar el **imperativo** de «**tú**» se toma la **tercera persona singular** del **presente** de indicativo.

INFINITIVO	PRESENTE (3ª. pers. sing.)	IMPERATIVO (tú)
hablar	habla	habla (más despacio)
trabajar	trabaja	trabaja (más rápido)
comer	come	come (mi amor)
aprender	aprende	aprende (la lección)
escribir	escribe	escribe (una carta)
abrir	abre	abre (la ventana)

EXCEPCIONES

decir	dice	**di** (la verdad)
hacer	hace	**haz** (los deberes)
poner	pone	**pon** (la mesa)
salir	sale	**sal** (de aquí)
ser	es	**sé** (bueno)
tener	tiene	**ten** (cuidado)
ir	va	**ve** (con tus amigos)
venir	viene	**ven** (aquí)

EL IMPERATIVO DE «VOSOTROS / AS»

Para formar el imperativo de «**vosotros/as**», se elimina la -**r**- del **infinitivo** y se sustituye una -**d**- en su lugar.

INFINITIVO	IMPERATIVO (vosotros/as)
habla**r**	habla**d**
toma**r**	toma**d** (un refresco)
come**r**	come**d**
corre**r**	corre**d**
vivi**r**	vivi**d**
discuti**r**	discuti**d**
hace**r**	hace**d** (un viaje)
pone**r**	pone**d**
deci**r**	deci**d**
i**r**	i**d**

Completa cada verbo de la columna **A** con la expresión adecuada de la columna **B.**

	A)		**B)**
1)	comer	**la ensalada**	a las preguntas
2)	salir		por la escalera
3)	tener		más amable/s
4)	responder		la ensalada
5)	subir		a los abuelos
6)	ir		a las conferencias
7)	tomar		aquí
8)	esperar		un momento
9)	asistir		tu/vuestro coche
10)	escribir		la mesa, por favor
11)	decir		cuidado
12)	tocar		con Laura
13)	ser		unas tapas
14)	vender		a visitarle
15)	hacer		los deberes
16)	venir		la trompeta
17)	poner		algo

1

4

9

10

12

Ahora completa cada frase con el **imperativo** de los pronombres **tú** y **vosotros/as**.

	tú	**vosotros/as**	
1)	**Come**	**Comed**	**la ensalada.**
2)			
3)			
4)			
5)			
6)			
7)			
8)			
9)			
10)			
11)			
12)			
13)			
14)			
15)			
16)			
17)			

EL IMPERATIVO DE «USTED, NOSOTROS/AS, USTEDES»

Para formar el **imperativo** de estas personas se toma la **primera persona singular** del **presente** de indicativo, se elimina la «**o**» y se añaden las terminaciones siguientes:

usted	nosotros/as	ustedes
-e	**-emos**	**-en**

a los verbos de la **primera** conjugación (-**ar**).

Presente de indicativo		Imperativo		
Ejemplo:		**hablar** (1ª conjugación)		
(1ª pers. del sing.)	yo	usted	nosotros/as	ustedes
(pres. de ind.)	hablø →	habl**e**	habl**emos**	habl**en**

A los verbos de la **segunda** conjugación (-**er**) y a los verbos de la **tercera** conjugación (-**ir**) se añaden las terminaciones siguientes:

usted	nosotros/as	ustedes
-a	**-amos**	**-an**

Presente de indicativo		Imperativo		
Ejemplos:		**comer** (2ª conjugación)		
(1ª pers. del sing.)	yo	usted	(nosotros/as)	ustedes
(pres. de ind.)	comø →	com**a**	com**amos**	com**an**
		hacer (2ª conjugación)		
(1ª pers. del sing.)	yo	usted	(nosotros/as)	ustedes
(pres. de ind.)	hagø →	hag**a**	hag**amos**	hag**an**
		vivir (3ª conjugación)		
(1ª pers. del sing.)	yo	usted	(nosotros/as)	ustedes
(pres. de ind.)	vivø →	viv**a**	viv**amos**	viv**an**
		decir (3ª conjugación)		
(1ª pers. del sing.)	yo	usted	(nosotros/as)	ustedes
(pres. de ind.)	digø →	dig**a**	dig**amos**	dig**an**

Nota que en el modo **imperativo** las **terminaciones** de la **primera conjugación** corresponden a las **terminaciones** de la **segunda conjugación** del **presente de indicativo**; y que las **terminaciones** de los verbos de la **segunda y tercera conjugaciones del imperativo** corresponden a las **terminaciones** de la **primera conjugación** del **presente de indicativo**.

Presente de indicativo			Imperativo		
HABLAR	**COMER**	**VIVIR**	**HABLAR**	**COMER**	**VIVIR**
hablo	como	vivo			
hablas	comes	vives			
habl***a***	com**e**	vive	habl**e**	com***a***	viv***a*** (usted)
habl***amos***	com**emos**	vivimos	habl**emos**	com***amos***	viv***amos*** (nosotros)
habláis	coméis	vivís			
habl***an***	com**en**	viven	habl**en**	com***an***	viv***an*** (ustedes)

VERBOS IRREGULARES

Si la **primera persona** del presente **no** termina en «**o**», entonces el **imperativo** de **usted**, **nosotros/as** y **ustedes** es **irregular**.

Presente de indicativo		Imperativo – verbos irregulares		
infinitivo	**yo**	**usted**	**(nosotros/as)**	**ustedes**
dar	do**y**	dé	demos	den
ir	vo**y**	vaya	vamos *	vayan
ser	so**y**	sea	seamos	sean
saber	**sé**	sepa	sepamos	sepan
estar	esto**y**	esté	estemos	estén

*Esta forma es la misma que en el **presente**.

Completa cada verbo de la columna **A** con la expresión adecuada de la columna **B.**

A)		B)
1) hacer	**todo lo posible**	quieto/s
2) estar	______	al mercado
3) decir	______	cuidado con el fuego
4) tomar	______	las cosas en orden
5) saber	______	más despacio
6) bailar	______	que hay gato encerrado
7) tener	______	todo lo posible
8) ser	______	puntual, por favor
9) discutir	______	el primer tren
10) ir	______	el dinero a Mónica
11) poner	______	toda la verdad
12) salir	______	al ritmo de esta música
13) dar	______	el pro y el contra
14) comer	______	de casa

10

6

8

13

Ahora completa cada frase con el **imperativo** que corresponde a los pronombres **usted**, **nosotros/as** y **ustedes**.

	usted	**(nosotros/as)**	**ustedes**	
1)	**Haga**	**Hagamos**	**Hagan**	**todo lo posible.**
2)				
3)				
4)				
5)				
6)				
7)				
8)				
9)				
10)				
11)				
12)				
13)				
14)				

CONVERSACIÓN

1) Acabas de comprar un coche deportivo muy caro y necesitas seguros. Llama a tu agente de seguros.

2) Tú y tu novio/a quieren comprar una casa y necesitan una hipoteca. Hablen con el director de banco.

3) Eres vendedor/a de aspiradoras. Llama a la puerta de una casa y trata de interesar al cliente en tu producto. Después de tu demostración, el cliente te dice que vende enciclopedias y trata de venderte una.

EL IMPERATIVO: VERBOS CON IRREGULARIDADES VOCÁLICAS

REPASO: Los verbos que al ser conjugados cambian una **vocal** de la raíz son verbos con **irregularidades vocálicas**.

Ejemplos: presente: c**e**rrar (**cie**rro, **cie**rras, **cie**rra, c**e**rramos, c**e**rráis, **cie**rran)
presente: p**e**rder (p**ie**rdo, p**ie**rdes, p**ie**rde, p**e**rdemos, p**e**rdéis, p**ie**rden)

EL IMPERATIVO DE NOSOTROS/AS: VERBOS CON IRREGULARIDADES VOCÁLICAS

VERBOS DE LA 1a. y 2a. CONJUGACIONES

El imperativo de nosotros/as usa la misma raíz que la primera persona plural del presente de indicativo.

infinitivo	presente (nosotros/as)	imperativo
cerrar	**cerr**amos	**cerr**emos
contar	**cont**amos	**cont**emos
perder	**perd**emos	**perd**amos
volver	**volv**emos	**volv**amos

VERBOS DE LA 3a. CONJUGACIÓN

Con los verbos de la **tercera** conjugación, la raíz sufre un cambio de **vocal** en el **imperativo** de **nosotros/as:** (**e** → **i** y **o** → **u**).

infinitivo	presente (nosotros/as)	imperativo
servir	**serv**imos	s**i**rvamos (**e** → **i**)
repetir	**repet**imos	rep**i**tamos (**e** → **i**)
pedir	**ped**imos	p**i**damos (**e** → **i**)
sentir	**sent**imos	s**i**ntamos (**e** → **i**)
dormir	**dorm**imos	d**u**rmamos (**o** → **u**)

servir a los clientes

volver a casa

sentirse bien

dormir la siesta

Completa cada verbo de la columna **A** con la expresión adecuada de la columna **B.**

A)		**B)**
1) pedir	**dinero a Miguel**	el noticiero
2) cerrar	______	el café
3) servir	______	la siesta
4) escuchar	______	dinero a Miguel
5) relatar	______	las instrucciones
6) tener	______	a Marisa
7) abrir	______	la puerta
8) llamar	______	el dinero
9) seguir	______	la verdad
10) decir	______	paciencia
11) contar	______	una aventura
12) dormir	______	una cuenta en este banco

2

3

4

6

8

Ahora completa cada frase con el **imperativo** que corresponde a los pronombres **usted**, **nosotros/as** y **ustedes**.

	usted	(**nosotros/as**)	**ustedes**	
1)	**Pida**	**Pidamos**	**Pidan**	**dinero a Miguel.**
2)	______	______	______	______
3)	______	______	______	______
4)	______	______	______	______
5)	______	______	______	______
6)	______	______	______	______
7)	______	______	______	______
8)	______	______	______	______
9)	______	______	______	______
10)	______	______	______	______
11)	______	______	______	______
12)	______	______	______	______

EL IMPERATIVO
VERBOS CON CAMBIOS ORTOGRÁFICOS

infinitivo	tú	usted	nosotros/as	vosotros/as	ustedes
verbos que terminan en – car					
bus*car*	busca	bus**qu**e	bus**qu**emos	buscad	bus**qu**en
to*car*	toca	to**qu**e	to**qu**emos	tocad	to**qu**en
sa*car*	saca	sa**qu**e	sa**qu**emos	sacad	sa**qu**en
colo*car*	coloca	colo**qu**e	colo**qu**emos	colocad	colo**qu**en
embar*car*	embarca	embar**qu**e	embar**qu**emos	embarcad	embar**qu**en
verbos que terminan en – gar					
pa*gar*	paga	pa**gu**e	pa**gu**emos	pagad	pa**gu**en
lle*gar*	llega	lle**gu**e	lle**gu**emos	llegad	lle**gu**en
entre*gar*	entrega	entre**gu**e	entre**gu**emos	entregad	entre**gu**en
ju*gar*	juega	jue**gu**e	ju**gu**emos	jugad	jue**gu**en
juz*gar*	juzga	juz**gu**e	juz**gu**emos	juzgad	juz**gu**en
abri*gar*se	abrígate	abrí**gu**ese	abri**gu**émonos	abrigaos	abrí**gu**ense
verbos que terminan en – zar					
empe*zar*	empieza	empie**c**e	empe**c**emos	empezad	empie**c**en
comen*zar*	comienza	comien**c**e	comen**c**emos	comenzad	comien**c**en
almor*zar*	almuerza	almuer**c**e	almor**c**emos	almorzad	almuer**c**en

Completa cada verbo de la columna **A** con la expresión adecuada de la columna **B.**

A)		**B)**
1) buscar	**en el globo terráqueo**	al ajedrez
2) colocar	______________	al acusado
3) tocar	______________	la multa
4) sacar	______________	una paella
5) embarcar	______________	a casa temprano
6) pagar	______________	tres entradas
7) llegar	______________	a los pasajeros
8) entregar	______________	el año con buen pie
9) jugar	______________	en el globo terráqueo
10) juzgar	______________	el timbre / una melodía
11) empezar	______________	estos libros en el estante
12) almorzar	______________	la carta al señor Ruiz

Ahora completa cada frase con el **imperativo** que corresponde a los pronombres **usted**, **nosotros/as** y **ustedes**.

	tú	nosotros/as	ustedes	
1)	**Busca**	**Busquemos**	**Busquen**	**en el globo terráqueo.**
2)				
3)				
4)				
5)				
6)				
7)				
8)				
9)				
10)				
11)				
12)				

ANTÓNIMOS – NOMBRES

el peor, una respuesta, el verano, la primavera, la mentira, el exterior, la noche, la alegría, un pesimista, la llegada

1) la tristeza **la alegría**
2) una pregunta ____________
3) la salida (del ciclista) ____________
4) el otoño ____________
5) el mejor ____________
6) un optimista ____________
7) la mañana ____________
8) el interior ____________
9) el invierno ____________
10) la verdad ____________

IMPERATIVO – POSICIÓN DE LOS PRONOMBRES

REPASO: Los pronombres complementos se colocan delante de los **verbos conjugados**.

Usted ve la casa. — Usted **la** ve.
Escribo una carta a mi novio. — **Se la** escribo.

Cuando el pronombre complemento se usa con un **infinitivo**, se **añade al final de éste** (el infinitivo) y forma una sola palabra con él.

Voy a visitar la casa. — Voy a *visitar***la**.
Quiere escribir una carta a su novio. — Quiere *escribír***sela.**

¡OJO! Cuando hay dos pronombres complementos, el complemento *indirecto* (**se**) **precede** al complemento *directo* (**la**)

MODO IMPERATIVO – PRONOMBRES

En el *modo imperativo,* los pronombres personales se añaden al **final del verbo** y forman una sola palabra con él.

Manda el dinero lo más pronto posible.
*Mánda***lo** lo más pronto posible. (imperativo de tú)
*Mánden***lo** lo más pronto posible. (imperativo de ustedes)

Nota el uso del acento ortográfico para mantener la misma pronunciación.

m**a**nda — m**á**ndalo — m**á**ndenlo

Manda el dinero *a Rosa* lo más pronto posible.
*Mánda**selo*** lo más pronto posible.
(el complemento *indirecto* (**se**) **precede** al complemento *directo* (**lo**).

MODO IMPERATIVO DE VERBOS PRONOMINALES (REFLEXIVOS)

Como los pronombres personales de complemento directo e indirecto, los *pronombres reflexivos* se añaden **al final del verbo imperativo**.

levánta**te** — levánte**se** — levantémo**nos** — levanta**os** — levánten**se**

¡OJO! a) Los verbos *pronominales* pierden la -**s**- de la terminación -**mos** en la *primera persona del plural (nosotros/as).*

Bañemo**s** al niño. (verbo neutro)
Bañé**mo***nos*. (pérdida de la -**s**- con verbos *pronominales*)

b) Se pierde también la -**d**- de la *segunda persona del plural (vosotros)* de los verbos pronominales.

Lava**d** el coche. (verbo neutro)
Lavaos las manos. (pérdida de la -**d**- verbos *pronominales*)

La pérdida de la -**d**- no ocurre con el verbo **irse**.
Niños, i**d**os de aquí.

ALGUNAS NOTAS SOBRE EL IMPERATIVO

A) En la primera persona del plural (*nosotros / as*), se omite la -**s**- de la *terminación* -**amos** y de la terminación -**emos** cuando se añade el *pronombre indirecto* -**se**-.

Digamo**s** la verdad a ellos.
Digá*mose*la. (pérdida de la -**s**- de la terminación -*amos*.)

Demo**s** el regalo a Luisita.
Dé*mose*lo. (pérdida de la -**s**- de la terminación -*emos*.)

B) En el español actual hay una tendencia marcada a sustituir el infinitivo a la segunda persona del plural (vosotros).

imperativo	**infinitivo**
Venid aquí.	Venir aquí.
Levantaos.*	Levantaros.
Sentaos.*	Sentaros.

*Observa la pérdida de la -**d**- final con el imperativo de los verbos pronominales con la forma vosotros/as (levantaos y no levantados).

C) Generalmente se omiten los pronombres *tú, nosotros / as* y *vosotros / as* cuando damos una orden.

Ven aquí. Decidme la verdad. Vamos a la playa.

Los pronombres *usted* y *ustedes* generalmente se usan cuando empleamos la forma de cortesía, pero se omiten en la conversación familiar.

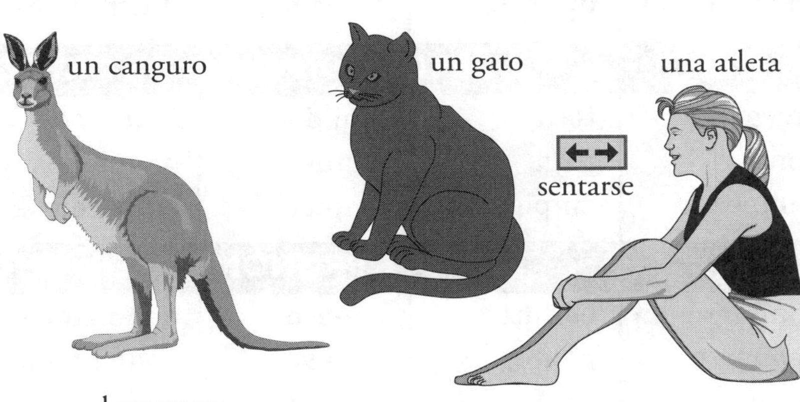

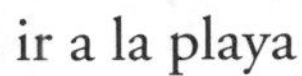

EL IMPERATIVO – CUADRO RECAPITULATIVO

infinitivo	tú	usted	nosotros/as	vosotros/as	ustedes
VERBOS REGULARES					
hablar	habla	hable	hablemos	hablad	hablen
comer	come	coma	comamos	comed	coman
vivir	vive	viva	vivamos	vivid	vivan
VERBOS IRREGULARES					
hacer	haz	haga	hagamos	haced	hagan
decir	di	diga	digamos	decid	digan
dar	da	dé	demos	dad	den
ir	ve	vaya	vamos	id	vayan
poner	pon	ponga	pongamos	poned	pongan
salir	sal	salga	salgamos	salid	salgan
tener	ten	tenga	tengamos	tened	tengan
ser	sé	sea	seamos	sed	sean
venir	ven	venga	vengamos	venid	vengan
estar	está	esté	estemos	estad	estén
VERBOS CON IRREGULARIDADES VOCÁLICAS					
1ª. y 2ª. conjugaciones					
cerrar	cierra	cierre	cerremos	cerrad	cierren
contar	cuenta	cuente	contemos	contad	cuenten
perder	pierde	pierda	perdamos	perded	pierdan
volver	vuelve	vuelva	volvamos	volved	vuelvan
3ª. conjugación					
pedir	pide	pida	pidamos	pedid	pidan
dormir	duerme	duerma	durmamos	dormid	duerman
VERBOS CON CAMBIOS ORTOGRÁFICOS					
tocar	toca	toque	toquemos	tocad	toquen
pagar	paga	pague	paguemos	pagad	paguen
empezar	empieza	empiece	empecemos	empezad	empiecen
VERBOS PRONOMINALES (REFLEXIVOS)					
bañarse	báñate	báñese	bañémonos	bañaos	báñense
ponerse	ponte	póngase	pongámonos	poneos	pónganse
irse	vete	váyase	vámonos	idos	váyanse

Escribe cada frase en el **imperativo** usando los verbos que están entre paréntesis. Reemplaza las palabras en negrilla con pronombres de complemento.

1) (Mirar - tú) la televisión una hora solamente.
Mírala una hora solamente.

2

2) (Tomar - usted) **el tren** temprano.
____

4

3) (Decir - ustedes) **la verdad** a **Héctor**.
____

4) (Dar - tú) **la llave a mí**.
____

5) (Acompañar - nosotras) **a ellos** hasta el aeropuerto.
____

6) (Correr - ustedes) **el maratón**, si están en excelente forma física.
____

7) (Socorrer - tú) **a los pobres**.
____

8) (Vigilar - ustedes) bien **a los prisioneros**.
____

9) (Empujar -tú) **la puerta**.
____

10) (Apagar - vosotros) **el fuego** antes de acostaros.
____

11) (Limpiar - nosotros) **el piso** antes de salir.
____

12) (Medir / **e → i** /- nosotras) **la distancia**.
____

13) (Agrandar - ustedes) **la casa** este verano.
____

14) (Aplaudir - ustedes) **a este gran artista**.
____

14

imperativo – verbos pronominales

Escribe los verbos entre paréntesis al **imperativo**.

15) (Cepillarse - tú) **cepíllate** los dientes.

16) (Lavarse - ustedes) ____________________ las manos aquí.

17) (Callarse - vosotros) ____________________ ahora mismo.

18) (Bañarse - tú) ____________________ porque el agua está caliente.

19) (Protegerse - ustedes) ____________________ del sol porque pega fuerte.

20) (Establecerse - ustedes) ______________________________ aquí.

21) (Fiarse - tú) ________________ solamente de personas honradas.

22) (Pronunciarse - vosotros) ______________________ a favor de nuestro candidato.

23) (Limpiarse - vosotros) ______________________ las manos.

24) (Refugiarse - usted) ______________________ en una embajada.

25) (Acordarse - tú) ________________ bien de lo que te dijo tu mamá.

26) (Despertarse - nosotras) __________________________________ temprano.

27) —(Moverse - tú) ¡______________________ de allí!
—Pero, ¿cómo me voy a mover de aquí?

28) (Atreverse - tú) ¡ ________________________ y hazlo!

29) (Contentarse - nosotros) ______________________________ de lo que tenemos.

30) (Concentrarse - usted) ___________________________ bien.

31) (Decidirse - tú) _________________________ y ven con nosotros.

LOCUCIONES Y PROVERBIOS

tal astilla / vive el hombre / la cara / en la masa / a ciegas / ti mismo / se pierde la sopa / la lata / ciento se abren / los ratones bailan

1) Coger con las manos ________ **en la masa**
2) Comprar ________
3) Conócete a ________
4) Costar un ojo de ________
5) Cuando el gato no está ________
6) Cuando una puerta se cierra, ________
7) Dar ________
8) De la mano a la boca ________
9) De tal palo, ________
10) De esperanza ________

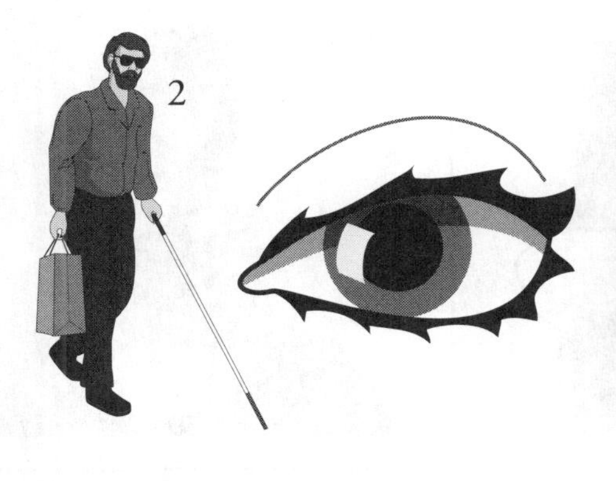

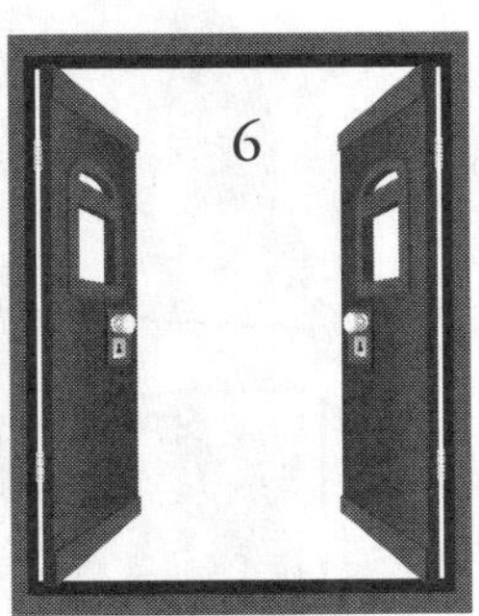

8

EL IMPERATIVO – REPASO

Completa cada verbo de la columna **A** con la expresión adecuada de la columna **B.**

A)		B)
1) dar	**las órdenes**	la explicación
2) correr	____________	de tu/su/nuestro escondite
3) ser	____________	bien
4) pensar	____________	bueno/s
5) hacer	____________	a casa temprano
6) volver	____________	aquí de nuevo
7) dormir	____________	al infierno
8) repetir	____________	las órdenes
9) poner	____________	antes de hablar
10) venir	____________	los deberes
11) salir	____________	la mesa
12) irse	____________	en el parque con Paco

11

2

4

5

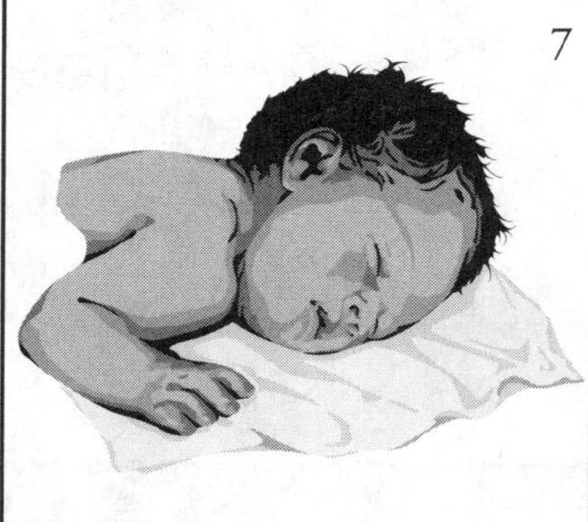
7

8

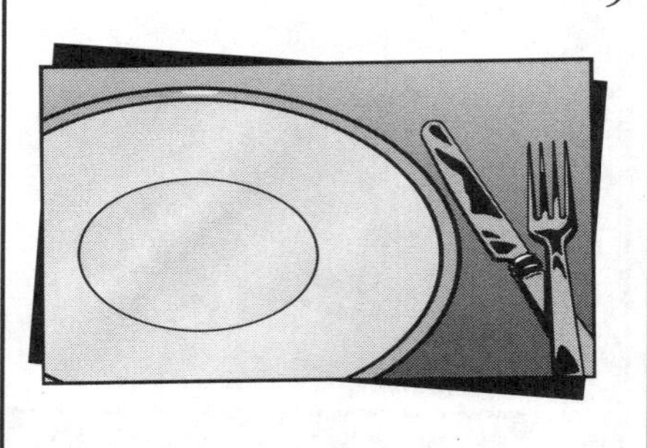
9

Ahora completa cada frase con el **imperativo** que corresponde a los pronombres tú, usted, y nosotros/as y ustedes.

	tú	usted	nosotros/as	
1)	**Da**	**Dé**	**Demos**	**las órdenes.**
2)				
3)				
4)				
5)				
6)				
7)				
8)				
9)				
10)				
11)				
12)			xxxxxxxxxxxxxxxxxx	

UNA ENTREVISTA DE TRABAJO

Tu hermano menor tiene una primera entrevista de trabajo. Usa la forma **imperativa** para darle algunos consejos para ayudarle a prepararse.

1) Ser puntual. **Sé puntual.**
2) Saludar al/a la entrevistador/a. ____________
3) Ser cortés. ____________
4) Sentarse cómodamente. ____________
5) Mantener una buena postura. ____________
6) Contestar a las preguntas claramente. ____________
7) Ser sincero y honesto. ____________
8) Informarse sobre la compañía. ____________
9) Mostrar un interés por la compañía. ____________
10) Dar las gracias al/a la entrevistador/a por su consideración. ____________

PREPOSICIONES

Completa cada frase con una **preposición** si es necesario.

de, a, para, después de, por, en, con

1) Trabajamos **para** ganar dinero.

2) Ellos no saben ____________ bailar el tango.

3) Insiste ____________ contarme todos sus problemas.

4) Durante la guerra muchos soldados murieron ____________ la patria.

5) ¡Quien no ha visto ____________ Sevilla no ha visto maravilla!

6) Salgo ____________ Buenos Aires. ¡Qué ilusión!

7) —Pago yo ____________ todos.
—¡Gracias, hombre!

8) Queremos aprender ____________ nadar.

9) Estamos hartos ____________ hacer siempre la misma cosa.

10) Beatriz se aprobó ____________ notas excelentes.

11) ____________ la fiesta varias personas estaban borrachas.

12) —¿____________ quién pregunta la policía?
—Pregunta ____________ el señor Artigas.

13) Alejandro siempre ha pasado ____________ ser hombre de bien.

14) Finalmente se sacó ____________ luz la verdad de toda esa historia tan misteriosa.

15) Margarita nos enseña ____________ esquiar.

16) El año pasado mis padres fueron de vacaciones ____________ Italia.

2

4

8

11

15

16

TEST (I-38)

A) Completa con la forma correcta del **pretérito** o del **imperfecto**.

1) Raquel estaba tan cansada que ______________ (dormir) once horas.
2) El año pasado ______________ (nevar) mucho.
3) Cuando me levanté esta mañana, ______________ (hacer) frío.
4) Antes, Pedro y yo ______________ (trabajar) juntos.

B) Completa con **por** o **para**.

1) El tren __________ Sevilla salió hace cinco minutos.
2) Voy a pasar __________ tu barrio, pero no podré visitarte.

C) Completa con el **futuro** del verbo más adecuado.

salir, ahorrar, visitar, recibir, poner, hacer

1) Le prometo que (nosotras) ______________ todo lo posible.
2) Ustedes ______________ la mercancía en dos meses.
3) Rosa ______________ del país el año próximo.
4) (Yo) ______________ toda mi energía en el proyecto.
5) Él ______________ bastante dinero para comprarse un piso.
6) Luis ______________ a sus amigos durante las vacaciones.

D) Contesta con **frases completas** (hace + expresiones de tiempo).

1) —¿Desde cuándo estudias español? (dos años)
—______________________________
2) —¿Hace cuánto tiempo que tocas el piano? (cinco años)
—______________________________
3) —¿Cuándo fuiste al teatro por última vez? (ocho meses)
—______________________________

E) Completa con la forma correcta (verbos activos/neutros y verbos pronominales).

1) Nosotros (levantar / levantarse) ______________ a las siete. (presente)
2) Enrique (bañar / bañarse) ______________ en el mar. (presente)
3) (Yo) casi siempre (poner / ponerse) ______________ la mesa. (pres.)

F) Escribe el **imperativo** de estos verbos.

decir (tú)	__________	decir (usted)	__________
hacer (usted)	__________	salir (nosotras)	__________
llamar (tú)	__________	beber (vosotros)	__________
saber (ustedes)	__________	ser (nosotros)	__________
cerrar (tú)	__________	cerrar (nosotros)	__________
servir (usted)	__________	servir (nosotros)	__________
dormir (usted)	__________	dormir (nosotras)	__________
tocar (tú)	__________	tocar (usted)	__________
pagar (tú)	__________	pagar (usted)	__________
lavarse (tú)	__________	lavarse (nosotros)	__________

G) Completa cada locución o proverbio.

1) Al buen entendedor ____________________.
2) Aunque la mona se vista de seda ____________________.
3) Costar un ojo ____________________.
4) Cuando una puerta se cierra,____________________.

H) Completa con la **preposición** adecuada: *de, a, para, después de, por, en, con*.

1) Estoy harto ______________ repetir siempre la misma cosa.
2) Vamos ______________ casa porque es tarde.
3) El tren ______________ Córdoba sale en cinco minutos.
4) Margarita fue al cine ______________ sus amigos.

I) Escribe la respuesta de la sección **B** que completa mejor cada número de la sección **A**.

A		B
1) olvidarse	**de una persona (d)**	a) las elecciones
2) un billete	______________	b) los pantalones
3) posponer	______________	c) la verdad
4) hace una mes	______________	d) de una persona
5) quitarse	______________	e) la multa
6) dime	______________	f) el peor
7) ten	______________	g) de ida y vuelta
8) pagar	______________	h) que no veo a mi hijo
9) el mejor	______________	i) la llegada
10) la salida	______________	j) cuidado con el fuego

J) Identifica cada dibujo. Escribe el **nombre** y el **artículo** o el **infinitivo**.

1)______________
2)______________ 
infinitivo
3)______________ 
4)______________ 
5)______________ 
6)______________ 
7)______________ 
8)______________ 
infinitivo
9)______________

PRONOMBRES PERSONALES – REPASO

Completa las preguntas/frases siguientes. Reemplaza las palabras entre paréntesis o subrayadas con los pronombres correspondientes.

1) —¿Quién abre la puerta? (la criada)
   —La criada **la abre.**

2) —¿Para quién es la ovación? (ella)
   —Es ______________________

3) —¿Con quién hablaste? (él)
   —Hablé ______________________

4) —¿Quieres ir al cine conmigo?
   —Sí, quiero ______________________

5) —¿Me has dicho todo lo que sabes?
   —¡Claro que sí! Ya sabes que entre (ti, tú) ________ y (yo, mí) ________ no hay secretos.

6) —¿A quién tengo que entregar este regalo? (a Jesús)
   —Tienes que ______________________

7) —Entonces, según (tú, ti) ________ no hay nada que hacer.
   —Sí, desgraciadamente creo que no hay nada que hacer.

8) —¿Puedo cerrar la ventana?
   —Sí, usted puede ______________________

9) —¿Quién cuida a tus hijos?
   —______________________ cuido yo mismo.

10) —Papá, ¿puedo jugar contigo?
    —Claro que puedes ______________________

11) —¿Dónde está el dinero que te presté?
    —________ tengo aquí.

12) —¿Quién puede prestarme cien euros?
    —Puedo ______________________ yo.
    —Muchas gracias. Eres un verdadero amigo.
    —Espero que vas a (devolver) ________ pronto.
    —¡Claro que sí! Voy a ________ la semana próxima.

13) —¿Puedes arreglarme el coche?
    —No, no puedo ______________________

14) —¿Quién fundó la orden de los jesuitas?
    —______________ Ignacio de Loyola en 1540.

15) —A vosotros ________ encanta hablar, ¿verdad?
    —Sí, ________ gusta mucho platicar con los amigos.

2

4

6

8

10

12

13

VOCABULARIO EN CONTEXTO

Completa con la forma correcta de la palabra que pide el significado de cada frase. Usa un artículo definido (el, la, los, las) o indefinido (un, una, unos, unas) si es necesario.

un anuncio, el origen, un par, un ataque, el reloj, los dientes

1) Ayer compré **un par** de zapatos importados de España.
2) ____________________ están en la boca y sirven para masticar cuando comemos.
3) a) Mauricio es de ____________________ mexicano.
   b) ____________________ de la lengua vasca es desconocido.
4) a) —No tengo mi ____________________. ¿Puede usted decirme qué hora es, por favor?
   b) ____________________ sirve para medir el tiempo en horas, minutos y segundos.
5) Quiero vender mi coche. Voy a poner ____________________ en el periódico.
6) Los soldados están preparando ____________________ contra el enemigo.

el armario, la pimienta, la sangre, minutos, la sal, la leche

7) En una hora hay sesenta ____________________.
8) —¿Puedes pasarme ____________________ y ____________________, por favor?
9) Toda mi ropa está en ____________________ de mi habitación.
10) ____________________ es muy buena para la formación de los huesos.
11) a) La Cruz Roja necesita ____________________.
    b) Verónica lleva la música y el baile en ____________________.

las señales, la serpiente, suerte, ventajas, duda

12) Se necesita mucha ____________________ para ganar la lotería.
13) ____________________ es un reptil.
14) Sin ____________________ Miguel va a llegar tarde.
15) Los «discos compactos» tienen varias ____________________. El sonido es muy claro y no se oye ningún ruido de fondo.
16) Para evitar accidentes es necesario respetar ____________________ de tráfico.

la liebre, paréntesis, la calma, la miel, el mar

17) ____________________ es una sustancia dulce, perfumada y viscosa que producen las abejas con el néctar de las flores.

18) ____________________ es un mamífero parecido al conejo.

19) a) Hay que aceptar las desgracias de la vida con ____________.
b) Lo que más echo de menos en esta ciudad tan ruidosa es ____________________ de la vida provinciana.

20) ____________________ es una gran extensión de agua salada que ocupa la mayor parte de la Tierra.

21) a) Aquí abro ____________________ y les cuento una anécdota que seguramente les va a gustar.
b) Hay que poner estos detalles entre ____________________.

17

18

ANTÓNIMOS – PREFIJOS

El antónimo de muchas palabras se obtiene añadiéndoles un **prefijo**:
cómodo ≠ **in**cómodo, orden ≠ **des**orden, preciso ≠ **im**preciso, real ≠ **ir**real
Escribe el antónimo de estas palabras añadiendo uno de los prefijos siguientes:

im-, in-, des-, ir-

1) satisfecho **insatisfecho**
2) confianza ____________________
3) practicable ____________________
4) comprensible ____________________
5) racional ____________________
6) leal ____________________
7) cómodo ____________________
8) ilusión ____________________
9) preciso ____________________
10) realizable ____________________
11) comparable ____________________
12) prudente ____________________
13) accesible ____________________
14) ordenado ____________________
15) adecuado ____________________
16) completo ____________________
17) capacidad ____________________
18) obediente ____________________
19) recuperable ____________________

?

1 2 9 11 12 15

JUEGO PEDAGÓGICO – EL MUNDO DE LOS ANIMALES

Los nombres de algunos animales se usan en ciertos modismos. Completa las frases usando el crucigrama para ayudarte a encontrar las respuestas.

HORIZONTAL

1) Él es un ____**cerdo**____ (persona sucia y grosera).
3) No es tan fiero el ________________ como lo pintan (no es tan mala una persona ni tan difícil un asunto como se creía).
4) Ramón es el último ________________ de la compañía (persona de menor importancia o consideración).
5) a) Más vale ____________ en mano que ciento volando (más vale una cosa pequeña segura que una grande insegura).
   b) Matar dos ________________ de un tiro (hacer o lograr dos cosas con una sola diligencia).
   c) Ese señor es un ____________ gordo (persona importante).
6) Hablar como un ________________ (hablar mucho y sin reflexionar).
8) __________________ flacas, __________________ gordas (expresiones que se emplean para aludir a épocas de escasez (flacas) y de abundancia (gordas) respectivamente.
   Los países industrializados están pasando una época de ____________ gordas (de abundancia), pero los países subdesarrollados están pasando un período de ____________ flacas (escasez).
11) Este negocio salió ________________ (mal, fracasó).
12) a) —¿Hubo mucha gente en la fiesta anoche?
   —No, hubo no más que cuatro ______________.
   b) Aquí hay ________________ encerrado (algo oculto, sospechoso).

VERTICAL

2) Jaime es la ________________ negra de su familia (no está a la altura del resto de su familia).
5) Ana es una ________________ (persona muy bondadosa o pura).
6) a) —¿Hace buen tiempo en California?
   —No, hace un tiempo de ________________.
   b) Es un ________________ viejo (persona astuta).
   c) —¿Cómo te trataron allí?
   —Me trataron como a un ________________ (muy mal).
7) a) Son unos ________________ (cobardes).
   b) Tener carne de ________________ (tener la piel como la de las ________________ a causa del frío o del miedo).
9) No se oye ni ________________ (no se oye ningún ruido).
10) Ellas trabajan como ________________ (mucho).
13) Es un ________________ de biblioteca (se dice del erudito de poca categoría que pasa su vida consultando los libros que puede encontrar en las bibliotecas).

EL MODO CONDICIONAL

sujeto	HABLAR	COMER	VIVIR
yo	habla**ría**	come**ría**	vivi**ría**
tú	habla**rías**	come**rías**	vivi**rías**
él, ella, usted	habla**ría**	come**ría**	vivi**ría**
nosotros/as	habla**ríamos**	come**ríamos**	vivi**ríamos**
vosotros/as	habla**ríais**	come**ríais**	vivi**ríais**
ellos/ellas/ustedes	habla**rían**	come**rían**	vivi**rían**

¿CÓMO SE FORMA EL CONDICIONAL?

Como el **futuro**, el **condicional** se forma usando el **infinitivo** como **raíz**, a la cual se añaden las terminaciones **ía, ías, ía, íamos, íais, ían**. Nota que las terminaciones del condicional son las mismas que las de los verbos **regulares** del **imperfecto** (**segunda** y **tercera** conjugaciones).
imperfecto (2ª. conjugación): com**ía**, com**ías**, com**ía**, com**íamos**, com**íais**, com**ían**
imperfecto (3ª. conjugación): viv**ía**, viv**ías**, viv**ía**, viv**íamos**, viv**íais**, viv**ían**

Los verbos que son **irregulares** en el **futuro** son también **irregulares** en el **modo condicional**. Además estos verbos tienen la **misma raíz** que el **futuro**.

INFINITIVO	FUTURO	CONDICIONAL
saber	(yo) sabr**é**	(yo) sabr**ía**
poder	(yo) podr**é**	(yo) podr**ía**
querer	(yo) querr**é**	(yo) querr**ía**
caber	(yo) cabr**é**	(yo) cabr**ía**
haber	(yo) habr**é**	(yo) habr**ía**
tener	(yo) tendr**é**	(yo) tendr**ía**
poner	(yo) pondr**é**	(yo) pondr**ía**
salir	(yo) saldr**é**	(yo) saldr**ía**
venir	(yo) vendr**é**	(yo) vendr**ía**
valer	(yo) valdr**é**	(yo) valdr**ía**
hacer	(yo) har**é**	(yo) har**ía**
decir	(yo) dir**é**	(yo) dir**ía**

USO DEL CONDICIONAL

1) El **condicional** se utiliza para:

a) dar consejos.

Ustedes **deberían** llegar más temprano.

b) hacer sugerencias.

En lugar de esperar aquí **podríais** esperar en el café.

c) expresar aspiraciones o ambiciones personales.

Me **gustaría** ser riquísima.

d) expresar deseos imposibles de realizar.

A mis padres les **encantaría** ir a España, pero no tienen bastante tiempo.

e) expresar cortesía al hablar con otra persona.

—¿**Querría** usted ayudarme por favor?

f) expresar valor de probabilidad en el pasado.

Sería la una cuando ocurrió el apagón.

2) El **condicional** se usa también en oraciones **subordinadas**. En este tipo de frase hay un *verbo principal* en el **pretérito** seguido del modo **condicional** en la *oración subordinada*. Aquí el **condicional** expresa tiempo **futuro** con respecto al verbo de la **oración principal.**

Rodrigo **dijo** (pretérito) que **iría** (condicional) a la fiesta.
(ayer) (del sábado próximo)

En la radio **se anunció** que **llovería**.

(ayer / **pretérito**) (mañana / **condicional**)

Completa estas frases en el **modo condicional** con el verbo más adecuado.

encantar, llegar, deber, poder, querer

1) Pedro nos prometió que **llegaría** puntualmente para la reunión.
2) —¿__________ (tú) acompañarme? La oscuridad me da miedo.
—Por supuesto que te acompaño.
3) A mí me __________ ir a un país hispano para perfeccionar mis conocimientos de la lengua española.
4) —Joven, __________ tener más respeto a los ancianos.
5) —¿__________ usted cerrar las ventanas, por favor?
—¡Sí, cómo no!

4

prestar, alquilar, gustar, poder, corregir

6) Nos ________________ quedarnos más tiempo, pero tenemos que regresar a casa antes de medianoche.

7) Cliente: —¿________________ usted ayudarme a encontrar un disco de Joaquín Rodrigo?
Dependiente: —Sí, la sección de música española está allá.

8) Ellos nos dijeron que ________________ un piso en el centro.

9) El profesor dijo que ________________ los exámenes y que nos los entregaría la próxima clase.

10) Mi vecino prometió que me ________________ su coche porque el mío está en el taller.

13

valer, hacer (2), saber, despegar, tomar

11) (Yo)________________ un café con leche, por favor.

12) Usted tampoco________________ qué responder.

13) —Tú ________________ un viaje a Rusia, ¿verdad?
—Claro que lo ________________.

14) Sin las reparaciones que hicimos este año, nuestra casa ______________ menos.

14

15) Se anunció que todos los aviones ______________ tarde a causa del mal tiempo.

15

ser, ponerse (2), hacer, buscar, decir, haber

16) —En esa situación usted ________________ furioso, ¿verdad?
—¡Pues, claro que ________________ furioso!

17) En tu lugar, (nosotros) le ________________ la verdad a la policía.

18) —¿Qué ________________ hecho usted en ese caso?
—No sé.

19

19) __________ las diez cuando los ladrones se infiltraron en la casa.

20) —¿Por qué ________________ (ella) tanto trabajo?
—Porque esperaba una promoción.

21) Raquel y Alonso dijeron que ________________ por todas partes para encontrar la casa de sus sueños.

21

SE VENDE

CONTRASTE – FUTURO / CONDICIONAL

a) Carmen ***dice*** que ***vendrá*** a visitarnos la semana próxima.

presente futuro

b) Carmen **dijo** que **vendría** a visitarnos la semana próxima.

pasado condicional

(ver las págs. 6, 8, 10 y 11 para el uso y la conjugación del futuro)

Completa cada frase con el **futuro** o con el **condicional** del verbo que está entre paréntesis.

6

1) Carlos afirma que el partido **se jugará** mañana. (jugarse)
2) Creemos que todos ____________________ a la hora convenida. (presentarse)
3) Te aseguré que ____________________ a ayudarte y aquí estoy. (venir)

7

4) Roberto mantiene que su equipo ____________________ el partido. (ganar)
5) Nosotros creemos que ellos ____________________ a la reelección del presidente actual. (oponerse)

8

6) Rosa y Paco dijeron que ____________________ esta noche. (salir)
7) Ellos prometieron que no ____________________ nunca más. (fumar)
8) —¿Pensáis que la reunión ____________________ un éxito? (ser)
—Claro que sí. Creo que ____________________ muchísima gente. (haber)

11

9) El portavoz afirmó que el gobierno ____________________ a todos los inmigrantes ilegales. (expulsar)
10) La profesora dijo que ____________________ un examen el miércoles próximo. (haber)
11) El Ministerio de Hacienda confirmó que el gobierno ____________________ su política monetaria. (revisar)

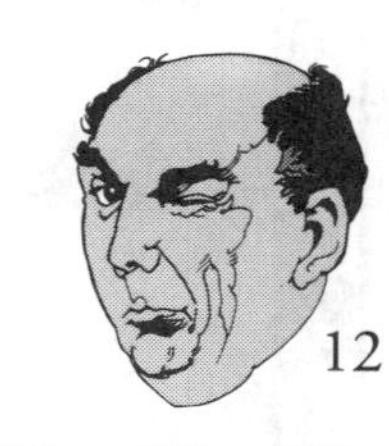
12

12) ¿Te imaginas la cara que ____________________ el director al darse cuenta de que nos hemos burlado de él? (poner)
13) Apuesto diez mil pesos que ustedes no ____________________ el maratón en menos de dos horas y media. (terminar)

14

14) El entrenador aseguró que todos sus jugadores ____________________ en buena forma física para los Juegos Olímpicos. (estar)
15) Los resultados de estos partidos determinan los equipos que ____________________ (participar) en el próximo Mundial (campeonato internacional de fútbol que se organiza cada cuatro años).

15

LOCUCIONES Y PROVERBIOS

llama dinero / vencerás / te diré quién eres / hay mucho trecho / los medios / el menos / hecho / al fuego / el Mediterráneo / viene la calma

1) Del dicho al hecho **hay mucho trecho**

2) Del mal, ______________________

3) Descubrir ______________________

4) Después de la tempestad ______________________

5) Dicho y ______________________

6) Dime con quién andas y ______________________

7) Dinero ______________________

8) Divide y ______________________

9) Echar leña ______________________

10) El fin justifica ______________________

3

4

7

9

8

CONVERSACIÓN

Utiliza los indicios para improvisar una conversación.
Pregúntale a un compañero/a si:

1) toca el piano

Ejemplo:

est. 1 —¿Tocas el piano?
est. 2 —No, pero toco la guitarra. ¿Y tú, tocas algún instrumento?
est. 1 —No, desgraciadamente no toco ningún instrumento.
¿Hace mucho tiempo que tocas la guitarra?
est. 2 —Bueno, empecé a tomar lecciones a los ocho años.
¿Qué tipo de música te gusta?
est. 1 —Me gusta mucho el jazz y la música clásica.
est. 2 —Yo prefiero la música popular…

2) tiene una bicicleta
3) tiene dos hermanos y una hermana
4) anoche se acostó después de medianoche
5) vio un programa de televisión el domingo pasado
6) practica un deporte regularmente
7) lleva zapatos # 7
8) ha comido langosta últimamente
9) le gusta el chocolate
10) viajó al extranjero el año pasado
11) habla a las plantas
12) nació en septiembre
13) puede nombrar seis países de Sudamérica
14) tiene un trabajo a tiempo parcial
15) está tratando de poner fin a una mala costumbre
16) esquió el invierno pasado
17) vio una película de terror el mes pasado
18) quiere ahorrar más dinero
19) cambió de trabajo hace dos años
20) ha recibido un aumento de salario en los últimos seis meses
21) compra billetes de lotería
22) habla por teléfono cuando maneja
23) ya sabe qué trabajo le gustaría hacer
24) es supersticioso/a
25) fuma

EL PLUSCUAMPERFECTO

FORMACIÓN DEL PLUSCUAMPERFECTO

Se usa el **imperfecto** del auxiliar **haber** y el **participio** de otro verbo.

SUJETO	HABER +	PARTICIPIO
yo	había	hablado / comido / vivido
tú	habías	
él, ella, usted	había	
nosotros/as	habíamos	
vosotros/as	habíais	
ellos/ellas/ustedes	habían	

FORMACIÓN DEL PARTICIPIO

conjugaciones:	1	2	3
infinitivos:	habl**ar**	com**er**	viv**ir**
participios:	habl***ado***	com***ido***	viv***ido***

Se elimina la terminación del infinitivo (**–ar, –er, –ir**) y se añade **–ado** a la 1ª. conjugación e **–ido** a la 2ª. y 3ª. conjugaciones.

EXCEPCIONES

infinitivo	participio	infinitivo	participio
abrir	**abierto**	morir	**muerto**
cubrir	**cubierto**	poner	**puesto**
descubrir	**descubierto**	romper	**roto**
decir	**dicho**	ver	**visto**
escribir	**escrito**	prever	**previsto**
describir	**descrito**	volver	**vuelto**
hacer	**hecho**	devolver	**devuelto**

¡OJO! 1) El **participio** es **invariable** cuando se usa con el auxiliar **haber** para formar el **pluscuamperfecto.**

2) El auxiliar **haber** y el **participio** van siempre **juntos**; ninguna palabra puede estar entre los dos.

Habíamos comido muy bien en ese restaurante.

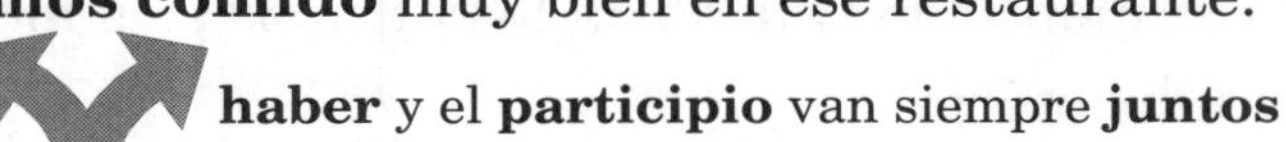

3) Los participios de **leer**, **oír**, **traer**, **caer**, y **creer** tienen un acento en la **í**: leído, oído, traído, caído, creído.

Yo ya **había leído** el libro.

USO DEL PLUSCUAMPERFECTO

El **pluscuamperfecto** se usa para expresar una acción que había ocurrido en el pasado, generalmente antes de otra acción.

Raúl llegó a la estación a las diez y cinco pero el tren ya **había salido**.

10:00	10:05	ahora
↑ Pluscuamperfecto	↑ Pasado (Pretérito)	↑ Presente
El tren **había salido.**	Raúl llegó.	ahora

Usa el **pluscuamperfecto** para completar las frases.

1) Nosotros **habíamos trabajado** (trabajar) mucho para poder terminar la construcción del estadio antes de la apertura de los Juegos Olímpicos del año 2000.

2) Alfonso nos ______________________ (decir) que llegaría tarde.

3) El fuego ya _____________________________ (destruir) la casa cuando llegaron los bomberos.

4) Cuando ustedes nos llamaron ya (nosotros) __________________ _______________ (limpiar) la casa y estábamos listos para salir.

5) ¡Qué lástima! Ese florero nos ______________________________ (costar) un ojo de la cara.

6) Antes de ser desterrado, el dictador _________________________ _________________________ (gobernar) durante veinticinco años.

7) Antes del pleito, el acusado ya ______________________________ (confesar) su culpabilidad a la policía.

8) Cuando estalló la rebelión el rey todavía no _____________ ________________ (renunciar) al poder.

9) Te llamé anoche pero ya ____________________ ___________________________ (salir - tú) de casa.

10) Cuando llegó la policía, los ladrones _________________________ _________________________ (desaparecer).

1

3

5

8

9

10

11) El gobierno ya ______________________________ (anunciar) una disminución de las tarifas.

12) Antes de morder a Jaime ese perro ya ______________________ (morder) a otra persona.

13) A pesar de que nosotras le ______________________________ (escribir) varias cartas, nunca recibimos una respuesta.

14) Ellos me __________________________________ (enviar) un telegrama pero no lo recibí a tiempo.

15) El torero ________________________ (lidiar) estupendamente al primer toro, pero el segundo le dio una cornada.

16) La señora García tenía mucha experiencia en ese tipo de trabajo ya que ______________________________ (mediar) en varios conflictos laborales.

17) Nosotras acabábamos de empezar el primer plato pero nuestro tío ya ______________________________ (terminar) el postre.

18) Pasé por su casa pero ustedes todavía no ______________ __________________ (volver) de vacaciones.

19) Regresé a la tienda para comprar el traje que ______________________________ (ver) la semana anterior, pero ya lo __________________________ (vender).

20) Las chicas nos aseguraron que ___________________________ (poner) las llaves en el cajón del escritorio.

21) —¿Qué _________________________________ (hacer) usted antes de hacerse ingeniero?
—Era hombre de negocios.

22) Los estudiantes dijeron que no ___________________________ (entender) bien la segunda pregunta del examen.

23) Cuando llegué, el concierto ya ___________________________ (empezar) y tuve que esperar el entreacto para poder ocupar mi butaca.

24) Fui a comprar pan, pero ya se ______________________ (agotar).

12 13 15 17 19 21 20 23 24

ANTÓNIMOS – PREFIJOS

El antónimo de muchas palabras se obtiene añadiéndoles un prefijo.

cómodo ≠ **in**cómodo, orden ≠ **des**orden, preciso ≠ **im**preciso, real ≠ **ir**real

Escribe el **antónimo** de estas palabras añadiendo uno de los prefijos siguientes:

im-, in-, des-, ir-

1) coherente **incoherente**
2) atar ____________
3) la dicha ____________
4) par (adjetivo) ____________
5) constitucional ____________
6) remediable ____________
7) ofensivo ____________
8) empleo ____________
9) parcial ____________
10) preciar ____________
11) enchufar ____________
12) previsible ____________
13) culto ____________
14) decente ____________
15) integración ____________
16) presentable ____________
17) explorado ____________
18) aguantable ____________
19) acabado ____________
20) embarcar ____________

2 3 1 3 4 6 10 5 11 12 14 17 20

RELACIONA

A) LA FAMILIA

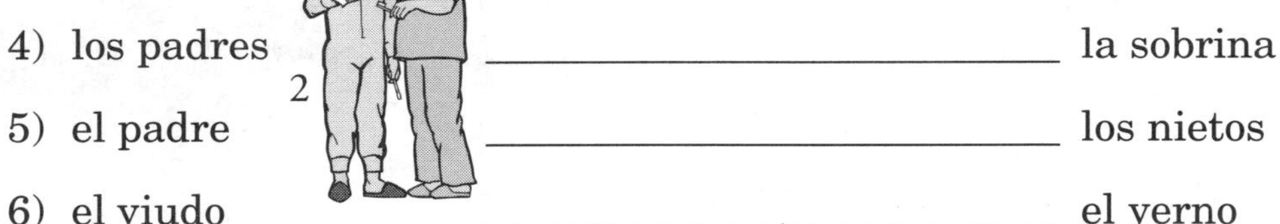

1)	el tío	**la sobrina**	la viuda
2)	los abuelos		la madre
3)	el marido		la nuera
4)	los padres		la sobrina
5)	el padre		los nietos
6)	el viudo		el yerno
7)	los adolescentes		la mujer
8)	el suegro		los hijos
9)	la suegra		los adultos

B) PROVERBIOS

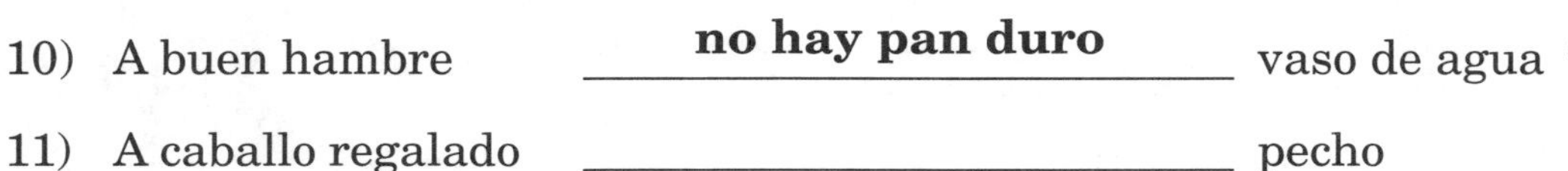

10)	A buen hambre	**no hay pan duro**	vaso de agua
11)	A caballo regalado		pecho
12)	A lo hecho		no hay pan duro
13)	A quien madruga		no le mires el diente.
14)	Ahogarse en un		Dios le ayuda.

C) MISCELÁNEA

15)	el juez	**el acusado**	al contado
16)	elecciones		veinte mil pesos
17)	estado de sitio		toque de queda
18)	ser testigo de un		crimen
19)	apostar		golpe de estado
20)	pagar		el acusado

CONVERSACIÓN

1) Ya hace un mes y medio que uno de tus inquilinos no ha pagado el alquiler. Llámalo para pedirle una explicación. Trata de llegar a un acuerdo con él.
2) Buscas un apartamento. En el periódico encuentras un anuncio que te parece interesante. Llama para obtener mayor información.
3) Acabas de perder tu trabajo. Infórmate si puedes recibir ayuda del gobierno.
4) Estás preparando un viaje al extranjero. Ve al banco para comprar cheques de viaje.
5) Llama al propietario de tu apartamento y quéjate de las cosas siguientes:
   a) La calefacción del salón no funciona bien.
   b) El inquilino de arriba estudia la danza y practica a menudo.
   c) Los hijos de otro inquilino suben y bajan por la escalera constantemente.
   d) El timbre no funciona.
   e) Quieres pintar el apartamento y necesitas pintura.

EXPRESIONES CON EL VERBO «DAR»

Completa cada expresión con la explicación adecuada que está a la derecha.

1) me da lo mismo	**no me importa**	presumir de lo que no se es
2) dar en el blanco	______________	están orientadas hacia el mar
3) dar palos de ciego	______________	no me importa
4) dársela de (inteligente)	______________	acertar
5) las ventanas de la casa dan al mar	______________	hace una cosa sin pensar, sin saber o sin obtener resultados prácticos

SABER Y CONOCER

SABER

1) tener noticia de una cosa → **Supe** que no vendrías.
2) haber aprendido de memoria → **Sabemos** la lección muy bien.
3) tener habilidad para una cosa → **Saben** esquiar.
4) comunicar, hacer saber→ Me hicieron **saber** sus intenciones.

¡OJO! *Saber* significa también tener sabor una cosa.
Esta tarta **sabe** a manzanas.
Esta sopa no **sabe** bien.

CONOCER

1) encontrar una persona por primera vez, ser presentado a alguien → Conocí a mi esposa en Salamanca.
2) estar en relación → **Conozco** muy bien a Paquito.
3) haber visto → Creo que lo **conozco** de vista.
4) tener experiencia de → Usted no **conoce** mi carácter.
5) reconocer → Me **conocerá** porque llevaré un traje azul.
6) sufrir, soportar → **Conocimos** la miseria.

Completa cada frase con la forma correcta de **saber** o **conocer** según el significado de cada frase.

1) —¿ **Sabes** tú quién es el alcalde de Madrid?
—Sí, y además mi tío lo ________________ personalmente.
2) Sois políglotas; ________________ cinco lenguas.
3) (Nosotros) ________________ a Pedro y a Marisol el año pasado en una fiesta.
4) (Yo) ________________ a muchos latinoamericanos.
5) —¿Quién ________________ las respuestas?
—(Yo) ________________ las respuestas de las primeras dos preguntas.
6) Raquel y Alfonso ________________ al señor Hernández el año pasado.
7) Mis sobrinos ________________ tocar el violín.
8) Mis padres quieren ________________ a mi novia.

7

8

9) Acabamos de llegar a este país y todavía no ________________ bien sus costumbres.

10) A pesar de que soy de Lima, no ________________ Machu Picchu.

11) Ella ________________ que Diego había abandonado los estudios.

12) —¿________________ (vosotros) bailar?
—Lo suficiente como para no parecer ridículos.

13) Evita ________________ a Juan Perón cuando éste era coronel.

14) Tenéis que ________________ estos verbos de memoria.

15) —¿________________ usted quién es la señora Núñez?
—No, sólo la ________________ de vista.

16) Padre: —¿Por qué no comes?
Hijo: —Esta comida no ________________ muy bien.

17) Durante la guerra muchas personas ________________ el hambre.

18) ¿Por qué me lo preguntan a mí? Yo no ______________ nada de ese asunto.

19) Hemos visitado Barcelona unas cinco veces y por eso __________ la ciudad bastante bien.

20) Este pastel ________________ a café.

21) —¿________________ usted Guadalajara, México?
—Sí, es una ciudad conocida por los mariachis.

22) Se ________________ por la voz que ese cantante es Julio Iglesias.

12

13

19

21

20

22

EXPRESIONES CON EL VERBO "SABER"

1) saber cuántas son cinco →	estar muy enterado
2) saber latín →	ser muy astuto
3) se las sabe todas →	está muy al tanto, tiene experiencia
4) un no sé qué →	algo inexplicable

«LEMAS» PUBLICITARIOS

Lee la lista de «lemas publicitarios» y con otro/a compañero/a trata de adivinar los productos que cada uno podría anunciar.

1) el sonido del futuro

____

2) lo que siempre ha soñado

____

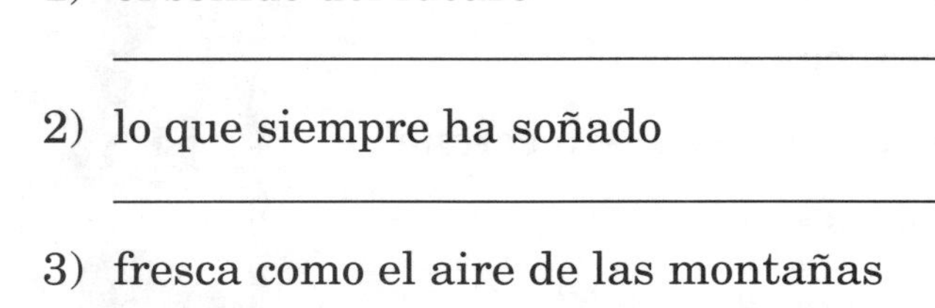

3) fresca como el aire de las montañas

____

4) el día más interesante de tu vida

____

5) para el turista aventurero

____

6) un oasis de paz y orden en un mundo caótico

____

7) Aprenda usted sin esfuerzos.

____

8) ¡Venga donde la nieve nunca falta!

____

9) Tocamos tu música.

____

10) confortable, lujoso, aerodinámico

____

ANTÓNIMOS – VERBOS

llegar, perder, ahorrar, amanecer, terminar, aceptar, contestar, desatar, levantarse, prohibir, tirar, acostarse, subir, despegar, ganar, acordarse, morir, ofrecer, limpiar

1) nacer **morir**
2) olvidarse ____________
3) perder (un partido) ____________
4) preguntar ____________
5) salir (el tren) ____________
6) levantarse ____________
7) hallar (una cosa) ____________
8) gastar ____________
9) empezar ____________
10) bajar ____________
11) rechazar ____________
12) empujar ____________
13) recibir ____________
14) permitir ____________
15) atardecer o anochecer ____________
16) ensuciar ____________
17) aterrizar ____________
18) sentarse ____________
19) atar ____________

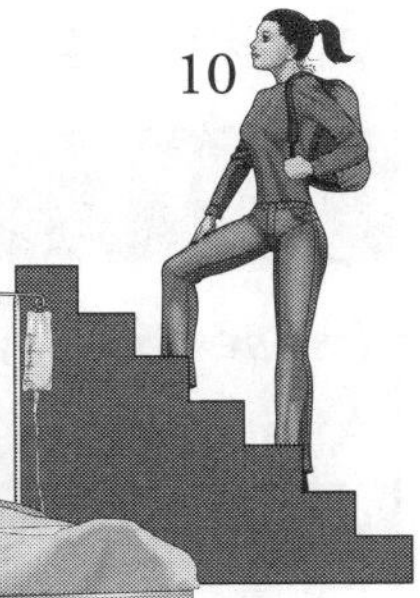

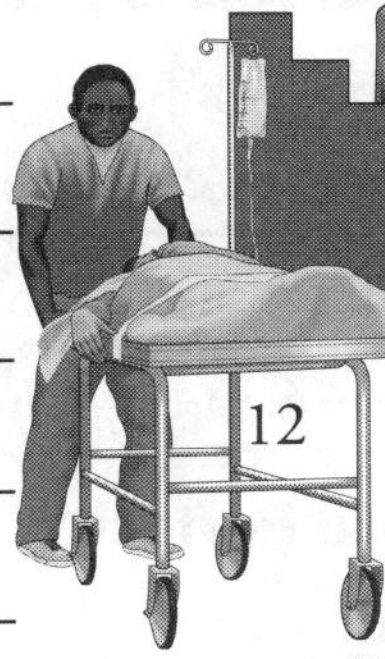

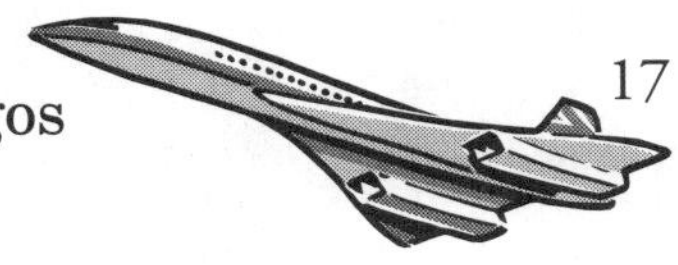

1 4 5 10 11 12 14 16 17

PROHIBIDO PESCAR

PRÁCTICA ORAL: Los estudiantes improvisan cortos diálogos inspirándose en los verbos de la lista.

est. 1 —¿Todavía **viven** tus abuelos?
est. 2 —Mis abuelos paternos **murieron** hace algunos años, pero mis abuelos maternos todavía viven y siguen muy activos…

LA VOZ PASIVA

En la conjugación de verbos, existen dos voces, la **activa** y la **pasiva**. La voz **activa** se usa mucho más frecuentemente que la **pasiva**.

voz activa → Ana **abrió** la caja fuerte. (abrió – voz activa)

voz pasiva → La caja fuerte **fue abierta** por Ana. (fue abierta – voz pasiva)

Ambas frases tienen el mismo significado pero el valor enfático es diferente. En la frase **activa** lo que nos interesa más es saber que fue **Ana** (y no Luisa o Mario) quien abrió la caja fuerte. El sujeto realiza la acción.

En la frase **pasiva** el foco de interés no es Ana, sino la caja fuerte. La **caja fuerte** (y no la puerta o la ventana) fue abierta por Ana. Fíjate que en ambos casos se da mayor **énfasis** a la palabra que se coloca en la **primera parte** de la frase (el sujeto de la frase).

FORMACIÓN DE LA VOZ PASIVA

La voz **pasiva** se forma con el **tiempo apropiado** del verbo **ser** y el **participio**. (ver la pág. 148 para la formación del participio)

VOZ ACTIVA	VOZ PASIVA
Presente Ana **abre** la caja fuerte.	**Presente** La caja fuerte **es abierta** por Ana.
Pretérito Ana **abrió** la caja fuerte.	**Pretérito** La caja fuerte ***fue*** **abierta** por Ana.
Pretérito Perfecto Ana **ha abierto** la caja fuerte.	**Pretérito Perfecto** La caja fuerte ***ha sido*** **abierta** por Ana.
Futuro Ana **abrirá** la caja fuerte.	**Futuro** La caja fuerte ***será*** **abierta** por Ana.

¡OJO! El **participio pasivo** concuerda en **género** y **número** con el **sujeto**.

La caj**a** fuerte fue abiert**a** por Ana.

El teatr**o** será abiert**o** una hora antes de la función.

Las puert**as** del coche han sido abiert**as** por el chofer.

SER – VOZ ACTIVA			
presente	**pretérito**	**pretérito perfecto**	**futuro**
soy	fui	he sido	seré
eres	fuiste	has sido	serás
es	fue	ha sido	será
somos	fuimos	hemos sido	seremos
sois	fuisteis	habéis sido	seréis
son	fueron	han sido	serán

Cambia cada frase de la **voz activa** a la **voz pasiva**.

1) Un cocinero francés **preparó** la cena. (**voz activa**)

   La cena **fue preparada** por un cocinero francés. (**voz pasiva**)

2) Miguel de Cervantes **publicó** la primera parte del Quijote en 1605.

   ____

3) Fernando **presenta** a Pepe.

   ____

4) El gobierno **organiza** una gran fiesta para celebrar el día de la independencia.

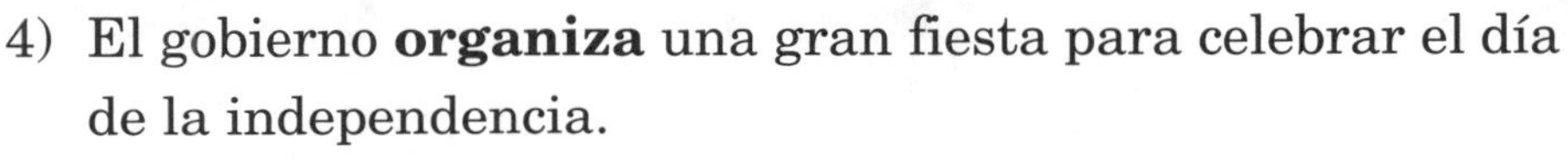

   ____

5) Se **terminará** la construcción del ayuntamiento en diciembre.

   ____

6) Los estudiantes **organizan** un viaje a la República Dominicana.

   ____

7) Los periodistas **entrevistarán** al presidente.

   ____

8) Lope de Aguirre **buscó** El Dorado en vano.

   ____

9) Chile **exporta** mucha fruta.

   ____

10) Este año muchos turistas **han visitado** las cataratas del Iguazú que están en la frontera entre Paraguay y Argentina.

   ____

11) Los estadounidenses **popularizaron** las hamburguesas.

____

12) Carmela **enviará** el paquete por correo aéreo.

____

13) La policía **ha encarcelado** al ladrón.

____

14) Cristóbal Colón **descubrió** América en 1492.

____

15) El Museo de Bellas Artes **ha anunciado** una exposición del pintor Joan Gris.

____

MODISMOS Y EXPRESIONES CON EL VERBO "TENER"

Repaso de algunos modismos y expresiones con el verbo **tener**:

tener (23) años, tener calor, tener frío, tener hambre, tener sed, tener sueño, tener prisa, tener miedo, tener razón, tener ganas de, tener éxito

He aquí otros modismos con el verbo "tener."

1) quien más tiene más quiere → **d** a) ser sumamente pobre

2) no tener donde caerse muerto → ______ b) juzgar conveniente

3) tener a bien → ______ c) tomar en consideración

4) tener a menos → ______ d) las personas nunca se quedan satisfechas

5) tener en cuenta ______ e) desdeñar, despreciar

LOCUCIONES Y PROVERBIOS

se quema / el tuerto es rey / no cuesta dinero / cerrar de ojos / salir por el otro / es oro / todo es empezar / se come al pequeño / hace al monje / empedrado de buenas intenciones

1) El hábito no **hace al monje**

2) El hablar bien ____________________

3) El camino del infierno está ____________________

4) El pez grande ____________________

5) El que juega con fuego ____________________

6) El tiempo ____________________

7) En la vida, ____________________

8) En tierra de ciegos, ____________________

9) En un abrir y ____________________

10) Entrar por un oído y ____________________

5

4

6

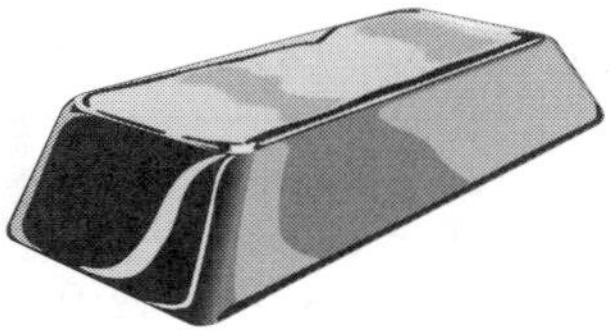

1

3

8

6

10

SUSTITUTOS DE LA VOZ PASIVA

Cuando se desconoce el sujeto agente o cuando éste no interesa al hablante, se puede reemplazar la **voz pasiva** con el pronombre «**se**» seguido de un verbo.

Aquí **se** *habla* español.

El uso del «**se**» impersonal es muy frecuente en la lengua española.
Nota la conjugación del verbo en esta construcción:

En Rusia **se** produc**e** mucho **oro** (sujeto).

Si el sujeto es **singular** se usa la **tercera persona singular** del verbo.

En Taxco (México) **se** produc**en** muchos **artículos** (sujeto) de plata.

Si el sujeto es **plural** se usa la **tercera persona plural** del verbo.

Completa cada frase usando el pronombre «**se**» y el verbo que está entre paréntesis.

1) En Alemania ______**se bebe**______ (beber) mucha cerveza.
2) En esta pastelería ____________________ (encontrar) dulces de diferentes países. (presente)
3) En España ____________________ (soler) tomar vino con las comidas. (presente)
4) En Latinoamérica, como en China y Japón, ____________________ (comer) mucho arroz. (presente)
5) Aquí ____________________ (alquilar) coches muy lujosos. (presente)
6) La segunda parte del Quijote ____________________ (publicar) en 1615. (pretérito)
7) Últimamente ____________________ (cometer) muchos crímenes en este barrio. (pretérito perfecto)
8) ____________________ (buscar) empleados serios. (presente)
9) ____________________ (pedir) ayuda. (presente)
10) ____________________ (esperar) llegar allí al amanecer. (presente)
11) En ese quiosco ____________________ (vender) tus cigarrillos preferidos. (presente)

1

2

3

4

12) En Buenos Aires ____________________ (publicar) muchos libros. (presente)

13) La Organización de las Naciones Unidas (O. N. U.) ____________________ (fundar) en 1945. (pretérito)

14) ________________ (suponer) que todo ha funcionado como previsto. (presente)

15) En esa pescadería ____________________ (conseguir) pescado muy fresco. (presente)

16) ____________________ (prohibir) fumar. (presente)

17) Anoche ____________________ (capturar) al prisionero que se había escapado de la cárcel. (pretérito)

18) ____________________ (prohibir) pisar el césped. (presente)

12

13

15

18

EL PARTICIPIO

Repaso 1:

El **participio** se usa con el **auxiliar haber** para formar los tiempos compuestos (pretérito perfecto, pluscuamperfecto, condicional perfecto).

> **Hemos comido** muy bien. (pretérito perfecto)
> Los buscaron por todas partes pero ya **habían *dejado*** el país. (pluscuamperfecto)

¡OJO! En este tipo de construcción el **participio** es **invariable**.

Repaso 2:

El **participio** se usa con el auxiliar **ser** para formar la **voz pasiva**.

> Varios puebl**os** fueron **destruidos** por el terremoto.

¡OJO! En la construcción de la **voz pasiva** el **participio** concuerda con el **sujeto** en **género** y **número**.

1) El **participio** se usa también como **adjetivo** y por lo tanto hay **concordancia** de **género** y de **número**.

> **Los** López están **arruinados**.
>
> La parrilla argentina es una combinación de **carnes asadas**.
>
> Laura y Armando son person**as** muy **decididas**; raramente dudan de sus decisiones.
>
> Entró en casa, el cuerp***o*** **calado**, y pidió una toalla.
>
> **Terminada** la corrid**a**, los aficionados empezaron a salir de la plaza de toros.

2) Se usa también en **perífrasis verbales** (circunlocuciones – manera de hablar en la que se expresa el sentido de una palabra de una forma imprecisa e indirecta) con los **auxiliares** siguientes: *venir, quedar, dejar, estar, ir, traer, llevar, andar.*

> Las ventanas *quedaron* **abiertas.**

FORMACIÓN DEL PARTICIPIO

CONJUGACIONES:	1	2	3
INFINITIVOS:	habl**ar**	com**er**	viv**ir**
PARTICIPIOS :	habl***ado***	com***ido***	viv***ido***

Se elimina la terminación del infinitivo (–**ar,** –**er,** –**ir**) y se añade –**ado** (conjugación 1) e –**ido** (conjugaciones 2 y 3).

PARTICIPIOS IRREGULARES

abrir →	**abierto**	morir →	**muerto**
cubrir →	**cubierto**	poner →	**puesto**
descubrir →	**descubierto**	romper →	**roto**
decir →	**dicho**	ver →	**visto**
escribir →	**escrito**	prever →	**previsto**
describir →	**descrito**	volver →	**vuelto**
hacer →	**hecho**	devolver →	**devuelto**

Aparte de estas excepciones, hay algunos verbos que tienen dos participios, uno regular y otro irregular. Para la formación de los **tiempos compuestos (haber + participio)** se usan generalmente los **participios regulares** (con las excepciones de **frito**, e **impreso**). Los **participios irregulares** se utilizan como adjetivos. He aquí algunos de estos verbos.

infinitivo	participio regular (haber + participio)	participio irregular (adjetivos)
concluir	concluido	concluso
confundir	confundido	confuso
corregir	corregido	correcto
despertar	despertado	despierto
difundir	difundido	difuso
elegir	elegido	electo
excluir	excluido	excluso
extinguir	extinguido	extinto
freír	___________	***frito***
imprimir	___________	***impreso***
incluir	incluido	incluso
maldecir	maldecido	maldito
salvar	salvado	salvo
soltar	soltado	suelto

Ejemplo: —¿Se **han despertado** los niños? (participio regular – tiempo compuesto)
—No, todavía siguen durmiendo.

Con el susto que tuvimos, nos quedamos **despiertos** toda la noche. (*participio irregular* usado como *adjetivo*)

Completa cada frase con el **participio** de los infinitivos que están entre paréntesis.

1) Las tiendas están ___**cerradas**___ (cerrar) durante la siesta, pero los grandes almacenes quedan ________________ (abrir).

2) Las estadísticas demuestran que los hombres ________________ (casar) viven más años que los solteros.

3) Es tarde y el nene está ________________ (dormir).

4) El señor Montoya se presentó muy bien ________________ (vestir) para la entrevista.

5) Estos zapatos están ________________ (hacer) en España y esta bolsa está ________________ (hacer) en México.

6) Una vez ________________ (terminar) los exámenes, nos iremos de juerga.

7) Dejaron ________________ (abandonar) sus tierras y se mudaron a la gran ciudad.

8) Miguelito siguió ________________ (enojar) todo el fin de semana por un asunto de poca importancia.

9) El hombre ________________ (atropellar) por el coche se encuentra en un estado muy grave.

10) Los diferentes salones del Palacio Real de Madrid, ________________ (decorar) con buen gusto, pueden visitarse diariamente.

11) Las señales ________________ (escribir) en varias lenguas, facilitan la circulación de los turistas.

12) Cien años de soledad, del colombiano Gabriel García Márquez, es una novela muy ________________ (leer) y ________________ (comentar).

13) Nos quedamos muy ________________ (confundir) y no supimos qué hacer.

14) Estos libros, ________________ (imprimir) antes de 1600 son muy raros y por lo tanto tienen mucho valor.

15) Las patatas ________________ (freír) son muy populares en los Estados Unidos de América.

16) Los hechos ________________ (aclarar), pudimos continuar nuestro trabajo.

2

3

4

5

8

14

17) Por todas partes se veían casas ________________ (caer) durante el terremoto.

18) Nuestro equipo, a pesar de haber jugado bien, quedó ________________ (derrotar).

19) Con lo pobre que es, siempre lleva los zapatos ________________ (romper).

20) No hay nada mejor que una comida bien ________________ (preparar), ________________ (acompañar) de un buen vino.

21) La ley, recién ________________ (aprobar) por el Parlamento, contiene otro aumento de los impuestos.

22) La mala noticia nos dejó ________________ (destrozar).

23) ¡________________ (maldecir) embustero! ¡Si lo encuentro, lo mato!

24) Los prisioneros que se escaparon van ________________ (soltar) por las montañas.

25) El jurado ha ________________ (concluir) que el acusado es inocente.

26) Muchas especies animales ya están ________________ (extinguir).

27) El profesor dijo que no había ________________ (corregir) los exámenes.

28) Tus respuestas resultan ________________ (corregir).

29) Cuando llegamos, los bomberos ya habían ________________ (extinguir) el fuego.

30) Todos salieron sanos y ________________ (salvar) del accidente.

NOMBRES  ADJETIVOS

Escribe los **nombres** (y los artículos) que corresponden a los **adjetivos** siguientes o viceversa.

1) bello **la belleza**

2) generoso ______________________

3) necesario ______________________

4) la bondad ______________________

5) el cariño ______________________

6) peligroso ______________________

7) la ambición ______________________

8) sarcástico ______________________

9) pobre ______________________

10) difícil ______________________

11) fácil ______________________

12) rico ______________________

13) el orgullo ______________________

14) inocente ______________________

15) lujoso ______________________

16) curioso ______________________

17) sorprendido ______________________

18) caliente ______________________

19) feliz ______________________

20) cortés ______________________

21) loco ______________________

22) desgraciado ______________________

23) tonto ______________________

24) excitante ______________________

25) limpio ______________________

26) oscuro ______________________

27) cansado ______________________

28) independiente ______________________

29) maravilloso ______________________

30) celoso ______________________

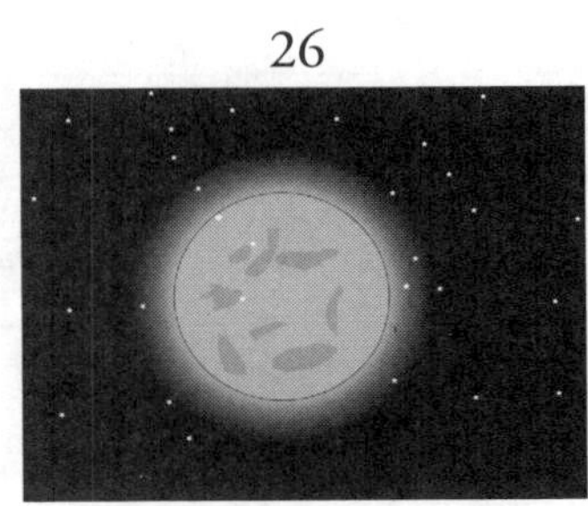

EL GERUNDIO (I)

REPASO: El **gerundio** se combina con el auxiliar **estar** para formar la **forma progresiva**.

—¿Qué **estás haciendo**?
—**Estoy escribiendo** una carta.

FORMACIÓN DEL GERUNDIO

Conjugaciones	1	2	3
Infinitivos	habl**ar**	com**er**	viv**ir**
gerundios	habl**ando**	com**iendo**	viv**iendo**

Se elimina la **terminación** del infinitivo (-**ar**, -**er**, -**ir**) y se añade -**ando** (conjugación **1**) y -**iendo** (conjugaciones **2** y **3**).

LA FORMA PROGRESIVA

Estar – presente		+ Gerundio
yo	**estoy**	habl**ando** español.
tú	**estás**	com**iendo** tacos.
él, ella, usted	**está**	escrib**iendo** una carta.
nosotros/as	**estamos**	
vosotros/as	**estáis**	
ellos, ellas, ustedes	**están**	

GERUNDIOS IRREGULARES

A) Si la raíz de un **infinitivo** de la **segunda** (-**er**) y de la **tercera** (-**ir**) conjugaciones termina en una **vocal**, la «**i**» de la terminación «**iendo**» cambia en «**y**».

leer →	leyendo	caer →	cayendo	creer →	creyendo
traer →	trayendo	oír →	oyendo	huir →	huyendo
construir →	construyendo	excluir →	excluyendo	incluir →	incluyendo
constituir →	constituyendo	distribuir →	distribuyendo	instruir →	instruyendo

B) En los verbos con **irregularidades vocálicas** de la **tercera** conjugación (-**ir**) los cambios siguientes ocurren.

1) la «**e**» de la **raíz** (pedir) cambia en → «**i**».

pedir →	pidiendo	servir →	sirviendo	seguir →	siguiendo
conseguir →	consiguiendo	corregir →	corrigiendo	elegir →	eligiendo
despedir →	despidiendo	impedir →	impidiendo	invertir →	invirtiendo
repetir →	repitiendo	vestir →	vistiendo	divertir →	divirtiendo
mentir →	mintiendo	venir →	viniendo	decir →	diciendo

Además *reír, sonreír, reñir y teñir* pierden la «**i**» de la terminación «**iendo**».

reír →	riendo	sonreír →	sonriendo
teñir →	tiñendo	reñir →	riñendo

2) la «**o**» de la **raíz** (dormir) cambia en «**u**».

dormir →	durmiendo	morir →	muriendo

C) El gerundio de *poder* e *ir* son **irregulares**.

poder →	pudiendo	ir →	yendo

El **gerundio** puede combinarse con el presente, el imperfecto, el pretérito, el pretérito perfecto y el futuro del auxiliar **estar**. Las últimas dos combinaciones se usan raramente.

Armando **está preparando** la comida. (presente)
Armando **estaba preparando** la comida. (imperfecto
Armando **estuvo preparando** la comida. (pretérito)
Armando **ha estado preparando** la comida. (pretérito perfecto)
Armando **estará preparando** la comida. (futuro)

ESTAR				
presente	**imperfecto**	**pretérito**	**pretérito perfecto**	**futuro**
estoy	estaba	estuve	he estado	estaré
estás	estabas	estuviste	has estado	estarás
está	estaba	estuvo	ha estado	estará
estamos	estábamos	estuvimos	hemos estado	estaremos
estáis	estabais	estuvisteis	habéis estado	estaréis
están	estaban	estuvieron	han estado	estarán

Completa cada frase con la forma correcta del **gerundio** y el tiempo indicado del auxiliar **estar**.

presente

1) El cliente le **está pidiendo** (pedir) otra caña al mesero.
2) Nada más ____________ (repetir) lo que me dijo tu jefe.
3) Nosotros ____________ (destruir) nuestro planeta.
4) —¿Por qué ____________ (reír - vosotros)?
—Porque Pablo nos ha contado un buen chiste.
5) —¿Estás listo ya?
—No, ____________ (vestirse).
6) Luisa ____________ (hacerse) rica con esta pequeña invención.

imperfecto

7) Mientras yo ____________ (coser) una falda, se rompió la aguja.
8) Al darse cuenta de que ____________ (perder) mucha clientela en la ubicación actual, decidieron mudar su negocio al centro.

9) —¿Qué ______________________ (hacer, vosotros) cuando Guillermo se desmayó?
— ______________________ (ver) una buena película de terror.

10) Nosotras ______________________ (buscar) una casa amplia, pero tuvimos que contentarnos con un apartamento bastante pequeño.

11) Los actores ______________________ (acabar) el último acto de la obra cuando ocurrió el apagón.

12) Cuando salimos de casa esta tarde ya ______________________ (nevar)

9

12

pretérito

13) Yo te ______________________ (esperar) una hora.

14) Ellos ______________________ (contemplar) el paisaje durante unos veinte minutos.

15) Nosotros ______________________ (apostar) en el hipódromo toda la tarde y perdimos bastante dinero.

16) Soledad te ______________________ (mentir) todo el día y tú no te diste cuenta.

17) El matrimonio que vive al lado de nosotros ______________________ (reñir) hasta la madrugada.

15

LOCUCIONES Y PROVERBIOS

en el agua / y la pared / que el agua / un manojo de nervios / polvo / de otro costal / gatos / la coronilla / al cuello / de faldas

1) Es más claro ____ **que el agua** ____

2) Es un asunto ____________________

3) Eso es harina ____________________

4) Estar como el pez ____________________

5) Estar con la cuerda ____________________

6) Estar entre la espada ____________________

7) Estar hasta ____________________

8) Estar hecho ____________________

9) Estar hecho ____________________

10) Había cuatro ____________________

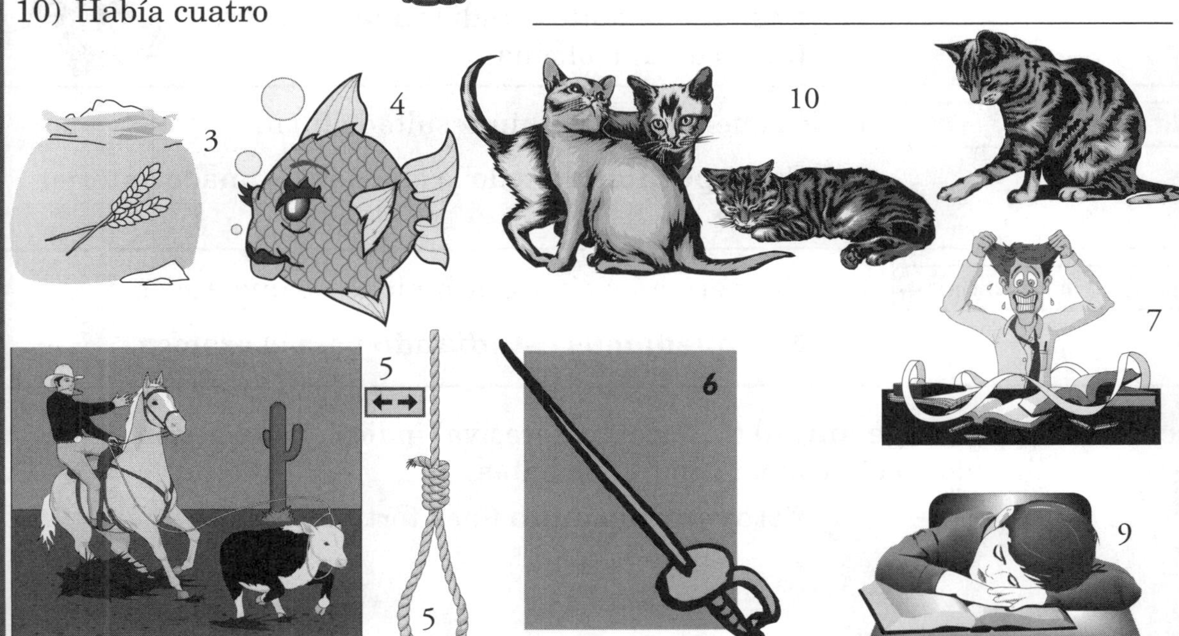

PERÍFRASIS VERBALES DE GERUNDIO (2)

El **gerundio** puede también usarse con los **auxiliares** siguientes:

ir, seguir, andar, llevar, acabar, salir y quedarse

ir + gerundio: →	indica que la acción se realiza de una manera progresiva o por etapa. Los árboles se **van deshojando**.
seguir + gerundio: →	indica la continuación de una acción previamente empezada. Todavía **sigue levantándose** a las once de la mañana.
andar + gerundio: →	indica que hay un movimiento para realizar la acción. La actividad es persistente y durativa. **Andaban cantando** de terraza en terraza.
llevar + gerundio: →	corresponde a la construcción: hace + expresión de tiempo + que + presente. **Llevamos** dos años **estudiando** español. (Hace dos años que estudiamos español.)
acabar + gerundio: →	indica el final de un proceso. Después de tanto estudiar **acabó trabajando** en una oficina.
salir + gerundio: →	indica que la acción es un resultado final. **Salió perdiendo** todo lo que había ganado anteriormente.
quedarse + gerundio: →	expresa permanencia y continuidad de una acción. **Nos quedamos estudiando** para el examen.

Recuerda: estar + gerundio (la forma progresiva) indica que la acción se está realizando en el momento en que se habla.

Estoy preparando unas tortillas. (ahora)

Completa cada frase con la forma correcta del **gerundio**.

1) Los guerrilleros siguen **luchando** (luchar) por sus ideales.
2) Anda ____________________ (decir) que ha visitado todos los países de América, pero nadie lo cree.
3) Llevo siete años ____________________ (vivir) en Honduras.
4) Acabé ____________________ (dejar) mi trabajo y formé mi propia empresa.
5) Creo que saliste ____________________ (ganar) en ese trueque.
6) Los ciclistas que participan en el Tour de Francia siguen ____________________ (avanzar) hacia París.
7) Andan ____________________ (cubrir) las paredes con carteles.
8) Nuestro equipo nacional salió ____________________ (triunfar).
9) Llevo veinte años ____________________ (fumar) y no puedo dejar el tabaco.
10) Acabaron ____________________ (divorciarse) después de quince años de matrimonio.
11) Fuimos al acuario y después del espectáculo, nos quedamos ____________________ (observar) las ballenas.
12) Llevan seis meses ____________________ (viajar) por el extranjero.
13) Poco a poco vamos ____________________ (aprender) esta lengua.
14) Se queda ____________________ (soñar) que un día volverá a su patria (Rusia).
15) Seguimos ____________________ (cantar) en un coro.
16) El señor Roca va ____________________ (pagar) sus deudas.
17) Anda ____________________ (contar) que ha tenido tantas aventuras.
18) Mi hijo lleva dos años ____________________ (aprender) el violín y ya puede tocar unas canciones muy sencillas.
19) Los trabajadores siguen ____________________ (pedir) un aumento de sueldo.

2

4

6

11

14

RUSIA

EL GERUNDIO (3)

El **gerundio** puede desempeñar una función **adjetiva** complementando a un nombre, que esté en función de sujeto o de complemento directo. Cuando complementa a un sujeto, el **gerundio** va siempre entre *comas* en el lenguaje *escrito* y con *pausas* en el lenguaje *hablado*.

Pidiendo limosna, el mendigo se pasaba todo el día en la calle.

Cuando complementa a un complemento directo, el **gerundio** va *sin comas* en el lenguaje *escrito* y *sin pausas* en el lenguaje *hablado*.

Entramos en la plaza y vimos a la muchedumbre **protestando** contra el gobierno.

Completa cada frase con la forma correcta del **gerundio**.

1) **Estando** (estar) encerrado todo el día, ni siquiera me di cuenta que había nevado.

2) ________________ (leer) este libro, he aprendido muchas cosas.

3) Lo vi entrar en el bar ________________ (fumar) un puro.

4) ________________ (estudiar) mis lecciones, saqué una buena nota en el examen.

5) ________________ (creer) que el tren saldría a las ocho, llegamos tarde a la estación.

6) ________________ (disfrazarse) de fontaneros, los ladrones entraron en la casa y robaron las joyas.

7) ________________ (subir) por la escalera, caí y me rompí un brazo.

8) ________________ (caminar) así, no llegaremos a tiempo.

9) ________________ (hablar) francamente, no veo por qué se están quejando.

10) ________________ (sentarse) en el coche, me di cuenta de que se me había olvidado la dirección de mi cliente.

11) Vimos a la niña ________________ (llorar) porque se había lastimado la rodilla.

12) ________________ (escuchar) música tradicional de mi país, me puse a pensar en mi familia y en mi tierra natal.

1

3

5

6

7

11

12

13) ________________________ (despedirse) de nuestros primos, subimos al avión.

14) __________________ (ser) un estudiante excelente, podría recibir una beca.

15) Encontramos a los músicos __________________ (ensayar) una nueva composición musical.

16) __________________ (abrir) la puerta, vi a mi amigo Francisco a quien no había visto desde hacía más de un año.

17) Al entrar en casa encontré a mi abuelo __________________ (leer) un libro.

18) El director se pasó dos horas __________________ (revisar) nuestro trabajo porque pensaba que habíamos cometido algún error.

19) Los conquistadores se fueron a América __________________ (buscar) aventuras y fortunas en el nuevo mundo.

13

15

17

19

CONVERSACIÓN

1) Hay un error en tu cuenta de teléfono. Llama a la compañía para explicar el error y pide una corrección.

2) Para tu cumpleaños un/a amigo/a te regaló una disco compacto que ya tienes. Explícaselo y pregúntale si puede devolverlo y comprarte uno de otro artista.

TEST (41-81)

A) Escribe el **antónimo**.

1) empleo ____________ 3) par ____________
2) racional ____________ 4) decente ____________

B) Completa las locuciones o proverbios siguientes.

1) Después de la tempestad ____________
2) Dicho y ____________
3) El hábito no ____________
4) Entrar por un oído ____________
5) Estar hecho ____________
6) Estar como el pez ____________

C) Completa con la palabra que pide el significado de cada frase.

1) El ____________ de mi habitación es grandísimo así que no tengo ningún problema para guardar toda mi ropa.
2) Algunas ____________ son venenosas. (nombre de un reptil)
3) Pásame la ____________ y la pimienta, por favor.

D) Completa con el nombre del **animal** adecuado.

1) Se dice que el ____________ es el rey de la selva.
2) Matar dos ____________ de un tiro.
3) Hace un tiempo de ____________. (= mal tiempo)

E) Completa con el **futuro** del verbo más adecuado.

caber, poner, decir, confirmar

1) Mañana, nosotros le ____________ la fecha exacta.
2) (Yo) les ____________ la verdad.
3) Ustedes no ____________ todos en el coche.
4) (Tú) ____________ la mesa.

F) Completa con el **condicional** del verbo más adecuado.

cerrar, ser, gustar, ir, deber

1) (Nosotros) ____________ visitar a nuestros abuelos más a menudo.
2) Me ____________ ir contigo, pero tengo que trabajar.
3) ____________ las once de la noche cuando llegué a casa.
4) (Yo) te prometí que (nosotros) ____________ a Costa Rica y aquí tienes los billetes.
5) —¿____________ (tú) la ventana, por favor?
—Sí, cómo no.

G) Completa cada frase con el **futuro** o el **condicional** del verbo indicado.

1) Le prometí que (yo) ____________________ a visitarle. (ir)
2) Roberto cree que (nosotros) ____________________. (triunfar)
3) Félix dijo que (él) nos ____________________ hoy. (pagar)
4) Creo que esta canción ____________________ mucho éxito. (tener)
5) Los jugadores nos aseguraron que ____________________ (jugar) mañana.

H) Escribe el **antónimo** de estos verbos.

1) bajar ____________________ 3) sentarse ____________________
2) ensuciar ____________________ 4) hallar ____________________

I) Completa cada frase con el **pluscuamperfecto**.

1) Cuando llegué a casa, mis padres ya ____________________. (salir)
2) Alguien ____________________ la puerta abierta y los ladrones entraron sin ningún problema. (dejar)
3) ¿Quién te ____________________ eso? (decir)

J) Completa cada frase con la forma correcta de **saber** o **conocer**, según el significado de cada frase.

1) (Yo) ____________________ a Luis desde el año pasado.
2) (Yo) ____________________ bailar.
3) Mis primos no ____________________ nada de ese asunto.

K) Identifica cada dibujo. Escribe el **nombre** y el **artículo** o el **infinitivo**.

infinitivo 1)____________________	2)____________________	3)____________________
4)____________________	infinitivo 5)____________________	6)____________________
7)____________________	8)____________________	infinitivo 9)____________________

L) Escribe la respuesta de la sección **B** que completa mejor cada número de la sección **A**.

A		B
1) ser testigo	**de un crimen (c)**	a) dan al parque
2) ahogarse en	____________	b) platicar con los amigos
3) las ventanas	____________	c) de un crimen
4) prestar	____________	d) despega en 15 minutos
5) me gusta	____________	e) apagaron el incendio
6) el avión	____________	f) lo mismo
7) un aumento de	____________	g) un vaso de agua
8) los bomberos	____________	h) una falda
9) me da	____________	i) dinero a alguien
10) coser	____________	j) salario

M) Cambia cada frase de la **voz activa** a la **voz pasiva**.

1) El cartero reparte las cartas.
____
2) Luisa pagó la cuenta.
____

Completa usando el pronombre «**se**» y el **presente** del verbo más adecuado.

publicar, alquilar, beber

3) En este país ____________ mucho vino.
4) ____________ apartamentos amueblados.
5) ____________ muchos libros en México.

N) Completa con el **participio** de los infinitivos que están entre paréntesis.

1) Estos libros están ____________ (imprimir) en Chile.
2) Las tiendas están ____________ (abrir).
3) El presidente ____________ (elegir) ocupará su cargo en mayo.

O) Escribe los **adjetivos** que corresponden a los **nombres** siguientes o viceversa.

1) el peligro ____________
2) la locura ____________
3) sarcástico ____________

P) Completa con la forma correcta del **gerundio**.

1) Van ____________ (pedir) dinero por todas partes.
2) Están ____________ (mentir).
3) Anda ____________ (decir) muchas cosas, pero todo es mentira.
4) Pasamos la noche ____________ (cantar) de terraza en terraza.

EL MODO SUBJUNTIVO – PRESENTE

El **modo indicativo** expresa una acción considerada como **real** en el pasado, el presente o el futuro.

Trabajo en un taller.

Al contrario, el **modo subjuntivo** indica que la acción, que todavía no se ha realizado, es un **deseo**, una **orden**, una **condición**, una **restricción** o una **hipótesis**. El **modo subjuntivo** se usa también para expresar **duda**, **temor**, **posibilidad** o **necesidad**.

Espero que mi nuevo trabajo **sea** interesante. (**deseo**)
Quiero que ustedes **terminen** el informe para mañana. (**una orden**)
Dudo que Luis **encuentre** un trabajo este verano. (**duda**)

VERBOS REGULARES

Para formar el **presente de subjuntivo** se toma la **primera persona singular** del **presente de indicativo** y se elimina la «**o**». Esto nos da la **raíz**, a la cual se añaden las **terminaciones** apropiadas.

	HABLAR	COMER	VIVIR
1ª. pers. sing. presente de indicativo	habl**ø**	com**ø**	viv**ø**
		SUBJUNTIVO	
... (que) yo	habl**e**	com**a**	viv**a**
... (que) tú	habl**es**	com**as**	viv**as**
... (que) él/ella/usted	habl**e**	com**a**	viv**a**
... (que) nosotros/as	habl**emos**	com**amos**	viv**amos**
... (que) vosotros/as	habl**éis**	com**áis**	viv**áis**
... (que) ellos/ellas/ustedes	habl**en**	com**an**	viv**an**

Nota que, con la excepción de la **primera persona singular**, en el presente de subjuntivo las **terminaciones** de la **primera conjugación** corresponden a las **terminaciones** de la **segunda conjugación** del **presente de indicativo**; y que las **terminaciones** de los verbos de la **segunda** y **tercera conjugaciones** corresponden a las **terminaciones** de la **primera conjugación** del **presente de indicativo**.

caer (caig**ø**)	caiga, caigas, caiga, caigamos, caigáis, caigan
conocer (conozc**ø**)	conozca, conozcas, conozca, conozcamos, conozcáis, conozcan
decir (dig**ø**)	diga, digas, diga, digamos, digáis, digan
hacer (hag**ø**)	haga, hagas, haga, hagamos, hagáis, hagan
oír (oig**ø**)	oiga, oigas, oiga, oigamos, oigáis, oigan
poner (pong**ø**)	ponga, pongas, ponga, pongamos, pongáis, pongan
salir (salg**ø**)	salga, salgas, salga, salgamos, salgáis, salgan
tener (teng**ø**)	tenga, tengas, tenga, tengamos, tengáis, tengan
traer (traig**ø**)	traiga, traigas, traiga, traigamos, traigáis, traigan
venir (veng**ø**)	venga, vengas, venga, vengamos, vengáis, vengan

VERBOS IRREGULARES

Si la **primera persona** del **presente de indicativo no** termina en «**o**», entonces el **presente de subjuntivo** es **irregular**. Nota que aunque la **raíz** es **irregular**, las **terminaciones** son **regulares**.

infinitivo	presente (ind.)	presente de subjuntivo (irregular)
dar	do**y**	d**é**, d**es**, d**é**, d**emos**, d**eis**, d**en**
ir	vo**y**	vay**a**, vay**as**, vay**a**, vay**amos**, vay**áis**, vay**an**
ser	so**y**	se**a**, se**as**, se**a**, se**amos**, se**áis**, se**an**
saber	s**é**	sep**a**, sep**as**, sep**a**, sep**amos**, sep**áis**, sep**an**
estar	esto**y**	est**é**, est**és**, est**é**, est**emos**, est**éis**, est**én**
haber*	h**e**	hay**a**, hay**as**, hay**a**, hay**amos**, hay**áis**, hay**an**

* Se utiliza principalmente como auxiliar.
Me alegro que **hayas** venido a visitarme.
(pretérito perfecto de subjuntivo, págs. 126-127)

ANTÓNIMOS

1)	el gasto	**el ahorro**	olvidarse
2)	pesado	______________	oscuro
3)	despierto	______________	lleno
4)	admitir	______________	ligero
5)	acordarse	______________	sucio
6)	el mejor	______________	dormido
7)	sencillo	______________	el peor
8)	vacío	______________	complicado
9)	a menudo	______________	negar
10)	claro	______________	el ahorro
11)	limpio	______________	raramente
12)	gordo	______________	delgado

2 3 8 11

USO DEL PRESENTE DE SUBJUNTIVO

En general el **subjuntivo** se usa en una **cláusula subordinada** que empieza con la palabra «**que**». En general, el **sujeto** de la **cláusula subordinada** es **diferente** del **sujeto** de la **cláusula principal**.

Yo quiero que **Miguel** *trabaje* de profesor. (subjuntivo → cambio de sujeto)

pero: Yo quiero *trabajar* de profesor. (mismo sujeto)

En las cláusulas subordinadas, el presente de subjuntivo tiene un matiz de tiempo **futuro**.

Quiero que Miguel **trabaje** de profesor.
(Quiero que Miguel **trabaje** de profesor en el futuro.)

VERBOS DE VOLUNTAD Y DESEO

Cuando el **verbo** de la **cláusula principal** expresa *deseo, necesidad, voluntad, mandato, consejo, permiso, prohibición*, etc., el verbo de la **cláusula subordinada** requiere el **modo subjuntivo**.

Quiero que Jesús me **escriba**.

He aquí algunos verbos de este tipo:

aconsejar, recomendar, decretar, mandar, necesitar, ordenar, permitir, prohibir, querer, rogar, suplicar, aprobar, oponerse

Completa cada frase con el **presente de subjuntivo** del verbo más adecuado.

terminar, mandar, casarse, salir, estar, dejar, volver (p. 91)

2

1) Necesito que mis padres me **manden** el dinero lo antes posible.
2) Te aconsejamos que __________ a la universidad y que __________ tu carrera.
3) Mis padres se oponen a que yo __________ tan joven.
4) El gobierno ordena que nadie __________ de su casa después de medianoche.
5) Te recomiendo que __________ el tabaco.
6) El general manda que todas las tropas __________ en estado de alerta.

3

5

descansar, hacer (2), dar, volver (p. 91), trabajar, pagar (p. 96)

7) Le suplicamos que nos ____________________ ese favor.
8) No te permito que ____________________ a casa tan tarde.
9) El médico me recomienda que ____________________ menos y que ____________________ más.
10) —¿Qué quiere que (nosotros) ____________________?
—Quiero que ustedes ________________ el alquiler del mes pasado.
—Bueno, le rogamos que nos ____________________ otra semana para poder encontrar el dinero.
—Bueno, les doy otra semana, pero no más.

9

11

endeudarse, ir, conocer, pagar (p. 96), mandar, beber, fumar

12-13

11) No aguanto el humo y por eso prohibo que se ______________ en mi casa.
12) Les invitamos para que ________________ a toda nuestra familia.
13) Te escribo para que me ________________________ noticias de tu familia.
14) Quiero que (vosotros) ______________________ al circo con Diego.
15) Recomiendo que ustedes no _____________ alcohol si deben manejar.
16) Yo me opongo a que no ________________ tus cuentas tú mismo.
17) El banco prefiere que (nosotros) no ______________________ demasiado.

14

venir, saber, entregar (p. 96), almorzar, prestar, practicar, trabajar

18) Concepción les pide a sus padres que le ____________________ el coche el fin de semana porque quiere hacer una excursión con sus amigas.
19) En esta escuela de danza se insiste en que los estudiantes ____________________ un mínimo de cinco horas diarias.
20) El jefe nos ordena que ____________________ hasta las seis porque estamos un poco atrasados en el trabajo.
21) La profesora exige que (nosotros) ____________________ las composiciones en dos semanas.
22) Les recomendamos que ____________________ de memoria las instrucciones.
23) Mi hermana piensa que es mejor que (nosotros) no _____________ en ese restaurante.
24) Deseamos que (vosotros) ______________ de compras con nosotros.

19

23

ser, estar, hacer, dar, malgastar, ir (2)

25) —Necesita que le ____________________ nuestro punto de vista.
—Por mi parte le aconsejo que ____________________ el viaje y que ____________________ a visitar a sus padres.
26) No puedo aprobar que mi compañero ________________ su dinero.
27) Es necesario que todos nosotros ____________________ de acuerdo.
28) Creo que mis padres desean que yo ___________________________ contable, pero a mí me gustaría ser cineasta.
29) ¡Te digo que ___________________ ahora mismo a trabajar!

USO DE «HASTA»

1) Como preposición, sirve para expresar el término o fin de una cosa con relación al tiempo, al espacio y a la cantidad:

Tenemos **hasta** el viernes para pagar la cuenta.

Este tren va **hasta** San Sebastián.

Miguelito sabe contar desde uno **hasta** veinte.

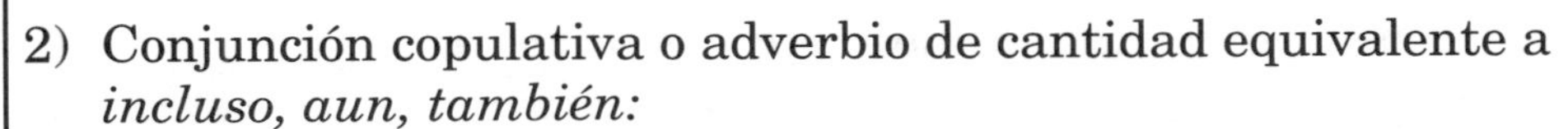

2) Conjunción copulativa o adverbio de cantidad equivalente a *incluso, aun, también:*

Si tenemos tiempo **hasta** podemos visitar la Plaza Mayor.

Plaza Mayor, Madrid

3) Expresiones de salutación de despedida:

hasta la vista / **hasta** luego / **hasta** (más) pronto /
hasta la próxima / **hasta** mañana / **hasta** el sábado

PRESENTE DE SUBJUNTIVO
VERBOS CON IRREGULARIDADES VOCÁLICAS

Los verbos con **irregularidades vocálicas** de la *primera* y *segunda conjugaciones* (–ar, –er) sufren los mismos cambios en el *presente de subjuntivo* que en el *presente de indicativo.*

PRIMERA CONJUGACIÓN (-AR)

INDICATIVO	SUBJUNTIVO	INDICATIVO	SUBJUNTIVO
cerrar (e → ie)	cerrar (e → ie)	contar (o → ue)	contar (o → ue)
c**ie**rrø	c**ie**rre	c**ue**ntø	c**ue**nte
c**ie**rras	c**ie**rres	c**ue**ntas	c**ue**ntes
c**ie**rra	c**ie**rre	c**ue**nta	c**ue**nte
cerramos	cerremos	contamos	contemos
cerráis	cerréis	contáis	contéis
c**ie**rran	c**ie**rren	c**ue**ntan	c**ue**nten

CONJUGACIÓN DE OTROS VERBOS DE TIPO E → IE

p*e*nsar	p**ie**nse, p**ie**nses, p**ie**nse, pensemos, penséis, p**ie**nsen
emp*e*zar	emp**ie**ce, emp**ie**ces, emp**ie**ce, empecemos, empecéis, emp**ie**cen
com*e*nzar	com**ie**nce, com**ie**nces, com**ie**nce, comencemos, comencéis, com**ie**ncen
s*e*ntarse	me s**ie**nte, te s**ie**ntes, se s**ie**nte, nos sentemos, os sentéis, se s**ie**nten
desp*e*rtarse	me desp**ie**rte, te desp**ie**rtes, se desp**ie**rte, nos despertemos, os despertéis, se desp**ie**rten
n*e*gar	n**ie**gue, n**ie**gues, n**ie**gue, neguemos, neguéis, n**ie**guen
atrav*e*sar	atrav**ie**se, atrav**ie**ses, atrav**ie**se, atravesemos, atraveséis, atrav**ie**sen
cal*e*ntarse	me cal**ie**nte, te cal**ie**ntes, se cal**ie**nte, nos calentemos, os calentéis, se cal**ie**nten
conf*e*sar	conf**ie**se, conf**ie**ses, conf**ie**se, confesemos, confeséis, conf**ie**sen
n*e*var	n**ie**ve

CONJUGACIÓN DE OTROS VERBOS DE TIPO O → UE

alm*o*rzar	alm**ue**rce, alm**ue**rces, alm**ue**rce, almorcemos, almorcéis, alm**ue**rcen
enc*o*ntrar	enc**ue**ntre, enc**ue**ntres, enc**ue**ntre, encontremos, encontréis, enc**ue**ntren
m*o*strar	m**ue**stre, m**ue**stres, m**ue**stre, mostremos, mostréis, m**ue**stren
ac*o*starse	me ac**ue**ste, te ac**ue**stes, se ac**ue**ste, nos acostemos, os acostéis, se ac**ue**sten
ac*o*rdarse	me ac**ue**rde, te ac**ue**rdes, se ac**ue**rde, nos acordemos, os acordéis, se ac**ue**rden
j*u*gar	j**ue**gue, j**ue**gues, j**ue**gue, juguemos, juguéis, j**ue**guen
s*o*ñar	s**ue**ñe, s**ue**ñes, s**ue**ñe, soñemos, soñéis, s**ue**ñen
r*o*gar	r**ue**gue, r**ue**gues, r**ue**gue, roguemos, roguéis, r**ue**guen

SEGUNDA CONJUGACIÓN (-ER)

INDICATIVO	SUBJUNTIVO	INDICATIVO	SUBJUNTIVO
perder (e → ie)	perder (e → ie)	poder (o → ue)	poder (o → ue)
pierdø	**pie**rda	**puedø**	**pue**da
pierdes	**pie**rdas	**pue**des	**pue**das
pierde	**pie**rda	**pue**de	**pue**da
perdemos	perdamos	podemos	podamos
perdéis	perdáis	podéis	podáis
pierden	**pie**rdan	**pue**den	**pue**dan

CONJUGACIÓN DE OTROS VERBOS DE TIPO E → IE

entender entienda, entiendas, entienda, entendamos, entendáis entiendan

defender defienda, defiendas, defienda, defendamos, defendáis, defiendan

querer quiera, quieras, quiera, queramos, queráis, quieran

CONJUGACIÓN DE OTROS VERBOS DE TIPO O → UE

doler* duela, duelas, duela, dolamos, doláis, duelan
mover mueva, muevas, mueva, movamos, mováis, muevan
volver vuelva, vuelvas, vuelva, volvamos, volváis, vuelvan
llover llueva

* doler (como el verbo gustar) se utiliza sobre todo en la tercera persona.
Dudamos que al jugador le **duela** la espalda.
Es posible que de tanto andar le **duelan** las piernas.

TERCERA CONJUGACIÓN (-IR)

Los verbos con **irregularidades vocálicas** de la tercera conjugación se dividen en tres categorías.

CATEGORÍA 1

INDICATIVO	SUBJUNTIVO
sentir (**e → ie**)	sentir (**e → ie, i**)
s**ie**ntø	s**ie**nta
s**ie**ntes	s**ie**ntas
s**ie**nte	s**ie**nta
sentimos	s**i**ntamos
sentís	s**i**ntáis
s**ie**nten	s**ie**ntan

CONJUGACIÓN DE OTROS VERBOS DE TIPO E → IE, I

preferir	pref**ie**ra, pref**ie**ras, pref**ie**ra, pref**i**ramos, pref**i**ráis, pref**ie**ran
mentir	m**ie**nta, m**ie**ntas, m**ie**nta, m**i**ntamos, m**i**ntáis, m**ie**ntan
divertirse	me div**ie**rta, te div**ie**rtas, se div**ie**rta, nos div**i**rtamos, os div**i**rtáis, se div**ie**rtan

CATEGORÍA 2

INDICATIVO	SUBJUNTIVO
dormir (**o → ue**)	dormir (**o → ue, u**)
d**ue**rmø	d**ue**rma
d**ue**rmes	d**ue**rmas
d**ue**rme	d**ue**rma
dormimos	d**u**rmamos
dormís	d**u**rmáis
d**ue**rmen	d**ue**rman

morir se conjuga como *dormir*:
m**ue**ra, m**ue**ras, m**ue**ra, m**u**ramos, m**u**ráis, m**ue**ran

CATEGORÍA 3

INDICATIVO	SUBJUNTIVO
pedir (**e → i**)	pedir (**e → i**)
p**i**dø	p**i**da
p**i**des	p**i**das
p**i**de	p**i**da
pedimos	p**i**damos
pedís	p**i**dáis
p**i**den	p**i**dan

CONJUGACIÓN DE OTROS VERBOS DE TIPO E → I

corregir	corr**i**ja, corr**i**jas, corr**i**ja, corr**i**jamos, corr**i**jáis, corr**i**jan
despedir	desp**i**da, desp**i**das, desp**i**da, desp**i**damos, desp**i**dáis, desp**i**dan
elegir	el**i**ja, el**i**jas, el**i**ja, el**i**jamos, el**i**jáis, el**i**jan
repetir	rep**i**ta, rep**i**tas, rep**i**ta, rep**i**tamos, rep**i**táis, rep**i**tan
servir	s**i**rva, s**i**rvas, s**i**rva, s**i**rvamos, s**i**rváis, s**i**rvan
vestir	v**i**sta, v**i**stas, v**i**sta, v**i**stamos, v**i**stáis, v**i**stan
seguir	s**i**ga, s**i**gas, s**i**ga, s**i**gamos, s**i**gáis, s**i**gan

EL SUBJUNTIVO – VERBOS DE EMOCIÓN

Cuando el **verbo** de la **cláusula principal** expresa **una reacción emotiva, el verbo de la cláusula subordinada** exige el **modo subjuntivo**. Estos verbos suelen llamarse verbos de **emoción**.

He aquí algunos verbos de este tipo:

aburrir, alegrar(se), apenar, esperar, disgustar, sentir, preferir, divertir, extrañar, fastidiar, gustar, importar, temer, tener miedo, doler, encantar, interesar, lamentar

Completa cada frase con el **presente de subjuntivo** del verbo más adecuado.

perder, gustar, mimar, poder, ir

1) A Pilar le gusta que sus padres la **mimen**.
2) Me alegro que a usted le ________________ su nuevo empleo.
3) No les importa que (nosotras) no ________________ allí.
4) Ella siente que (vosotros) ________________ vuestro tiempo con esas tonterías.
5) Nos encanta que ustedes ________________ venir a la fiesta.

2

un árbitro

5

servir, dormir, acostarse, ver, pedir, leer

6) Le fastidia que (nosotras) ________________ tan tarde.
7) —¿No te extraña a ti que Gerónimo ________________ tantas horas?
—Bueno, estará cansado.
8) Me encanta que los camareros me ________________ así, a cuerpo de rey.
9) Mis padres lamentan que yo les ________________ siempre dinero.
10) Lamento que hoy la gente ________________ tan poco y que ________________ tanta televisión.

7

8

10

sacar, hacer, realizarse, seguir, ser

11) A tu padre le disgusta que __________________ viviendo así.

12) Tememos que el gobierno actual __________________ otra mayoría en las elecciones del mes próximo.

13) Espero que __________________ todos tus sueños.

14) Con la mala suerte que tenemos, no me sorprende que __________________ mal tiempo durante nuestras vacaciones.

15) Me molesta que Luis __________________ tan imbécil.

12

14

hacer, poner, ir, poder, salir, estar

16) Sentimos que ustedes no __________________ quedarse con nosotros más tiempo.

17) Temo que (vosotros) __________________ pidiendo peras al olmo.

18) Nos preocupa que el coste de vida en esta isla ______________ aumentando de mes en mes.

19) Me apena que (tú) __________________ tanto dinero y energía en eso sabiendo que los riesgos son enormes.

20) —Me extraña que los políticos no __________________ por la entrada principal.
—Es que no quieren ser entrevistados por los periodistas.

21) Tengo miedo que Rafael __________________ una tontería.

17

20

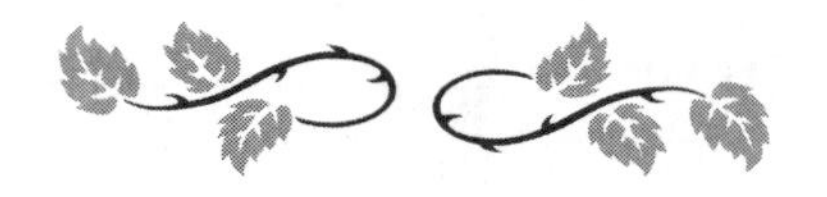

LOCUCIONES Y PROVERBIOS

y el silencio oro / no excusa su cumplimiento / de todos los vicios / en peor /
la boca agua / grano / en el aire / vale por dos / y volver trasquilado / encerrado

1) Hacer castillos ______ **en el aire** ______

2) Hacérsele a uno ____________________

3) Hay gato ____________________

4) Hombre prevenido ____________________

5) Ir al ____________________

6) Ir de mal ____________________

7) Ir por lana ____________________

8) La ignorancia de la ley ____________________

9) La ociosidad es madre ____________________

10) La palabra es plata ____________________

PRESENTE DE SUBJUNTIVO
VERBOS CON CAMBIOS ORTOGRÁFICOS

VERBOS QUE TERMINAN EN -CAR, -GAR, -ZAR

	SACAR	PAGAR	EMPEZAR
1ª pers. sing. presente de indic.	sacø	pagø	empiezø
	saque	pague	empiece
	saques	pagues	empieces
	saque	pague	empiece
	saquemos	paguemos	empecemos
	saquéis	paguéis	empecéis
	saquen	paguen	empiecen

OTROS VERBOS QUE TERMINAN EN -CAR

tocar	toque, toques, toque, toquemos, toquéis, toquen
buscar	busque, busques, busque, busquemos, busquéis, busquen
colocar	coloque, coloques, coloque, coloquemos, coloquéis, coloquen
embarcar	embarque, embarques, embarque, embarquemos, embarquéis, embarquen
significar	signifique, signifiques, signifique, signifiquemos, signifiquéis, signifiquen

OTROS VERBOS QUE TERMINAN EN -GAR

llegar	llegue, llegues, llegue, lleguemos, lleguéis, lleguen
entregar	entregue, entregues, entregue, entreguemos, entreguéis, entreguen
juzgar	juzgue, juzgues, juzgue, juzguemos, juzguéis, juzguen
jugar	juegue, juegues, juegue, juguemos, juguéis, jueguen
negar	niegue, niegues, niegue, neguemos, neguéis, nieguen
rogar	ruegue, ruegues, ruegue, roguemos, roguéis, rueguen

OTROS VERBOS QUE TERMINAN EN -ZAR

comenzar	comience, comiences, comience, comencemos comencéis comiencen
gozar	goce, goces, goce, gocemos, gocéis, gocen
almorzar	almuerce, almuerces, almuerce, almorcemos, almorcéis, almuercen
organizar	organice, organices, organice, organicemos, organicéis, organicen
alcanzar	alcance, alcances, alcance, alcancemos, alcancéis, alcancen

NOMBRES  VERBOS

Escribe los **nombres** (y los artículos) que corresponden a los **verbos** siguientes o viceversa.

1) decidir **la decisión**
2) saborear ____________
3) regañar ____________
4) gustar ____________
5) jugar ____________
6) robar ____________
7) confiar ____________
8) la broma ____________
9) la lidia ____________
10) aprender ____________
11) salir ____________
12) el beso ____________
13) enseñar ____________
14) nevar ____________
15) llover ____________
16) mentir ____________
17) la creencia ____________
18) el golpe ____________
19) invertir ____________
20) el empleo ____________

EL SUBJUNTIVO – EXPRESIONES IMPERSONALES

El modo subjuntivo se usa en oraciones subordinadas después de algunas expresiones «**impersonales**». He aquí algunas de estas expresiones:

es posible que, es imposible que, es probable que, es importante que, es lógico que, es raro que, es una pena que, es natural que, es mentira que, basta con que, está bien que, parece conveniente que, es una tontería que, es mejor que, es dudoso que, más vale que, es una lástima que, es preciso que, no es verdad

Completa cada frase con el **presente de subjuntivo** del verbo más adecuado.

organizar, saber, decir, cerrar, jugarse

1) Es importante que todos los testigos **digan** exactamente lo que han visto.
2) Más vale que __________ el partido hoy porque para mañana se prevén chubascos y tormentas.
3) Está bien que (tú) __________ una fiesta para celebrar tu cumpleaños.
4) Es posible que hoy las tiendas __________ a la una.
5) Es dudoso que Guadalupe __________ dónde está su hermano en este momento.

2

4

6

pagar, nevar, acordarse de, perder, buscar

6) Es una lástima que usted __________ siempre su paraguas.
7) Hay una posibilidad que mañana __________ en las montañas.
8) Es probable que (yo) __________ otro empleo porque ya estoy harto de trabajar en una oficina.
9) Después de tantos años, es improbable que tus hijos __________ de mí.
10) Es justo que todos __________ sus propios gastos.

7

estar, poder, pedir, salir de, negarse a

8

11) Es preciso que (tú) __________ ayuda a una compañera.
12) Es de temer que Lope no __________ pagar sus deudas porque acaban de despedirlo de su trabajo.
13) Es lógico que nosotras nos __________ hacer su trabajo.

14) Es una tontería que nosotros ________________ casa con esta tormenta.

15) Es improbable que él ________________ durmiendo a esta hora del día.

ver, callarse, volver, pensar, tener, hacer

16) No está bien que ellos ________________ como les da la real gana.

17) Es natural que Rafael ________________ en su novia a menudo.

18) Es una pena que (nosotros) ________________ que pagar tanto dinero al banco cada mes.

19) Es mejor que (vosotros) ________________, si no m voy a enojar.

20) Es dudoso que las chicas ________________ a casa antes de medianoche.

21) Parece conveniente que ustedes ________________ la película antes de criticarla.

venir, defender, ganar, perder, aspirar, ser (2), comer

22) Es necesario que (tú) ________________ bien tus intereses, porque si no la gente se va a aprovechar de ti.

23) Es importante que (nosotros) ________________ aquí porque en el tren la comida es muy cara.

24) Si sigue jugando es posible que ________________ todo lo que posee.

25) No está bien que nosotras ________________ siempre las primeras.

26) Es natural que ________________ a ser ministro porque es un político muy inteligente.

27) Basta con que ustedes ________________ a vernos.

28) Es raro que nuestro equipo ________________ más de tres partidos seguidos.

29) No es verdad que la novia de Fernando ____________ tan guapa.

14

17

18

19

21

23

24

EL SUBJUNTIVO – VERBOS DE DUDA, NEGACIÓN E INCERTIDUMBRE

Se requiere el **subjuntivo** en oraciones subordinadas cuando el hablante expresa **duda**, **negación** o **incertidumbre**.

Dudo que **podamos** terminarlo hoy.

No creo que **vengan** hoy.

¡OJO! Si el hablante sólo expresa un hecho, entonces se usa el modo **indicativo**.

No hay duda que lo **terminaremos** hoy.

Creo que **vienen** mañana.

El verbo **creer** viene seguido del modo **indicativo** cuando se usa en *frases afirmativas* y del modo **subjuntivo** cuando se usa en *frases negativas*.

Creo que **vienen** mañana. (frase afirmativa → indicativo)
No creo que **vengan** mañana. (frase negativa → subjuntivo)

El verbo **dudar** siempre va seguido por el **subjuntivo**, pero **no dudar** va seguido por el **indicativo**.

Dudo que Ramón **sea** de Costa Rica.

No dudo por un momento que **es** el candidato ideal.

Completa cada frase con el **presente de subjuntivo** del verbo más adecuado.

tener, terminar, salir, recibir, ir

1) Dudo que Ramón **salga** de este apuro.
2) No creo que Pablo ________________ a Honduras este verano.
3) Inés niega que ella y María __________ la intención de retirarse del proyecto.
4) Laura duda que yo ________________ una promoción este año.
5) José no cree que su hermano ________________ la carrera.

Honduras
Nicaragua

2

6

entender, poner, haber, ser, reducir

6) El gobierno niega que ________________ tanta corrupción como alega la oposición parlamentaria.
7) —Dudas que yo ________________ alemán, ¿verdad?
—Sí, lo dudo mucho.
8) No creemos que Juan ___________ tan inteligente como dicen.
9) Dudan que nosotros ________________ en práctica lo que predicamos.
10) No creemos que la pena de muerte ________________ la criminalidad.

haber, casarse, saber, ganar, estar

11) No creo que ________________ una solución fácil al problema del abuso de la droga en nuestra sociedad.

12) Dudo mucho que nuestro equipo ________________ el campeonato este año.

13) María y Eduardo riñeron ayer y ahora dudo que ____________.

14) No creo que Gastón ________________ al corriente de lo que pasó anoche.

15) Dudamos que Antonio ________________ los secretos de todos.

11

13

ANTÓNIMOS

Encuentra y escribe el **antónimo**.

1)	soltero	**casado**	en broma
2)	obtuso	________________	estar de pie
3)	inocente	________________	óptimo
4)	generoso	________________	culpable
5)	introvertido	________________	el enemigo
6)	en serio	________________	excluir
7)	incluir	________________	casado
8)	estar sentado	________________	afilado/agudo
9)	pésimo	________________	cobarde
10)	valiente	________________	tacaño
11)	el amigo	________________	extrovertido

3

4

6

11

8

10

1

USO DE «YA» Y «TODAVÍA»

YA

A) El significado de este adverbio depende del **tiempo** del verbo.

1) Con el **presente** significa «ahora, pronto» y tiene un uso enfático.

Ya somos ricos. **Ya** es hora de comer.
Ya llega el invierno. **Ya** voy.

2) Con el **pasado** significa «antes» o «más pronto de lo que se creía».
Confirma que un hecho ha ocurrido.

Cuando llegué al cine **ya** había gente esperando en cola.
Ya ha llegado el tren.
Ya pasaba por aquí a menudo. (= antes)

3) Con el **futuro** significa «más adelante, o pronto».

Ya nos veremos y charlaremos de eso.
Ya vendrá la hora de ir a trabajar.

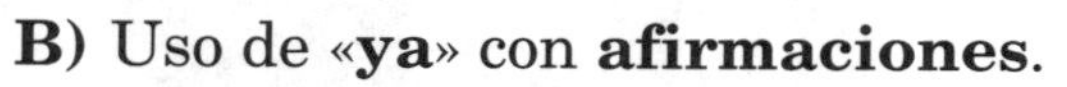

B) Uso de «**ya**» con **afirmaciones**.

4) insistencia

Ya lo creo. **Ya** lo sé.

5) Por fin

Ya me acuerdo que nos conocimos hace muchos años.

6) utilizado solo, significa «de acuerdo».

—¿Vendrás a visitarme pasado mañana?
—**Ya**.

C) Locuciones y empleos diversos:

¡Ya está! **¡Ya era hora!**
¡Ya mismo! (enseguida) **¡Ya!** (por fin)
Ya veremos.
Ya que sacaste el gordo en la lotería, puedes dejar tu trabajo.

D) **«Ya no»** – modismo con valor negativo para indicar que una acción que antes se hacía, ahora no se hace.

Eso **ya no** se dice.
Ya no trabajo en el Corte Inglés (nombre de una cadena de almacenes).
Isabel y Enrique se divorciaron porque **ya no** se quieren.

N.B. A menudo «**ya**» se utiliza para dar más énfasis a la acción expresada por el verbo y no hay necesariamente una palabra equivalente en otras lenguas.

TODAVÍA

1) —¿Dónde está Rafael? ¿Duerme **todavía**?
   —Sí, **todavía** duerme. (= desde un tiempo anterior hasta el momento actual)
2) —¿Vives **todavía** con tu familia?
   —Sí, **todavía** vivo con mi familia.
3) —¿Ha llegado el electricista?
   —No, **todavía no** ha llegado.

YA / TODAVÍA

Nota el uso de **ya** (afirmativo) y de **todavía** (negativo) en estas respuestas.

—¿Has visto la nueva película de Pedro Almodóvar? (cineasta español)
  —Sí, **ya** la he visto; es divertidísima.
  —No, **todavía** no la he visto, pero iré a verla este fin de semana.

—¿Has ido alguna vez a México?
  —Sí, **ya** he ido allí varias veces.
  —No, **todavía** no he ido pero me gustaría mucho ver las pirámides de Teotihuacán (centro arqueológico cerca de ciudad de México).

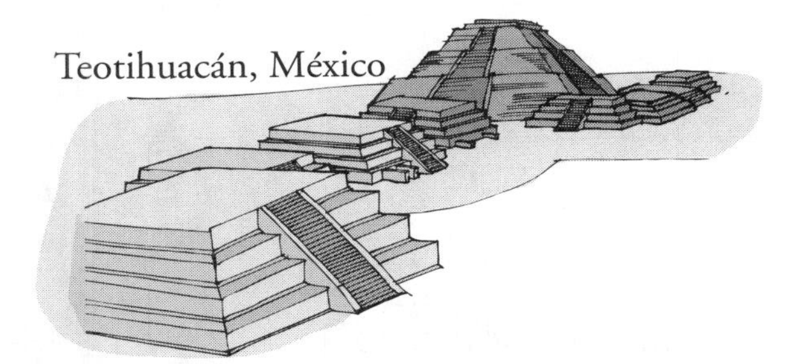

Completa cada frase con **hasta** (pág. 89), **ya** o **todavía**.

1) ____**Todavía**____ no ha llegado el tren.
2) ¡________________ era hora!
3) Este autobús va ________________ San Cristóbal de Las Casas (México).
4) Si nos queda tiempo ________________ podemos visitar el Palacio Nacional.
5) —¿Han terminado el proyecto?
   —No, ________________ no lo hemos terminado.
6) Chicos, a la mesa que ________________ es hora de comer.
7) La biblioteca está abierta ________________ las ocho.
8) ________________ no trabajo allí.
9) —¿Ya están despiertos los niños?
   —No, duermen ________________.
10) ¡Hemos ganado la lotería; ________________ somos ricos!

EL SUBJUNTIVO – ANTECEDENTE DE VALOR NEGATIVO

El modo **subjuntivo** se usa en oraciones subordinadas relativas, en las cuales hay un antecedente de valor negativo o inespecífico (indefinido).

No hay quien **pueda** con este chico.
(El antecedente es de valor negativo.)

Buscamos *una secretaria* que **sepa** tres lenguas.
(El antecedente es de valor inespecífico – no sabemos exactamente quién es la persona que tiene los requisitos que se piden.)

Completa cada frase con el **presente de subjuntivo** del verbo más adecuado.

aguantar, interesar, ser, aspirar, poder

1) No hay nadie que **pueda** indicarnos el buen camino.
2) No conozco a nadie que __________ tan bondadoso como Jaime.
3) No hay quien le __________ a ese niño.
4) No vemos nada aquí que nos __________.
5) El partido busca un candidato que __________ a renovar su ideología.

5

6

valer, dar, dañar, demostrar, llevar a cabo

6) Las compañías que producen cigarrillos mantienen que no hay ninguna prueba que __________ definitivamente que fumar cigarrillos __________ la salud.
7) No hay nada aquí que __________ la pena comprar.
8) No hay suficientes pruebas para que se __________ un proceso.
9) Queremos una habitación con ventana que __________ al parque.

8

9

poder, estudiar, estar, explicar, superar, pensar, saber

10) No hay nada aquí que __________ maravillar al turista.
11) No hay nadie que __________ mejor preparado que Raúl para ocupar ese cargo.

11

12) Buscamos un ingeniero que ________________ español para trabajar en un proyecto que tenemos en Argentina.

14

13) Por el momento, no hay ningún estudiante que ______________ tanto como Elena.

14) El director no escribe ningún cheque que ________________ los cinco mil dólares.

15) —¿Hay alguien aquí que ________________ como yo, o están ustedes todos en desacuerdo con mis ideas?

16

16) Necesito un libro que ________________ bien la diferencia entre el uso del verbo «ser» y del verbo «estar».

CONVERSACIÓN

1) Pide a tu agente de viajes de reservarte una habitación en el Hotel El Presidente en México. (discutan el tipo de habitación, el precio, la fecha, etc.)

2) Quieres hacer un viaje este invierno pero no sabes adónde quieres ir. Discute las diferentes posibilidades con tu agente de viajes.

3) Quieres comprar un coche de segunda mano. Habla al vendedor para ver lo que tiene disponible en este momento. Regatea con el vendedor.

EL SUBJUNTIVO – ORACIONES ADVERBIALES

El modo **subjuntivo** se usa con las oraciones adverbiales siguientes:

A) Oraciones temporales: Las conjunciones siguientes necesitan el uso del **subjuntivo** cuando se trata de una **acción futura**.

cuando, después (de) que, en cuanto, hasta que, tan pronto como, luego que, mientras, antes (de) que (ésta exige siempre el **subjuntivo**)

No podemos salir *antes que* **acabe** (subj.) esta tempestad. (fut.)
Cuando **llegue** (subjuntivo) el tren, nos despediremos. (futuro)

Pero: Cuando *llegó* (indicativo) el tren, nos despedimos. (pasado)

B) oraciones de concesión (acciones futuras no realizadas):
a pesar de que, aunque, por más que

A pesar de que no **haya** sol, iremos a la playa.
Aunque **juguemos** bien, perderemos el partido.
Por más que Gustavo **trabaje**, no terminará el trabajo hoy.

¡OJO! Las oraciones de concesión usan el **indicativo** cuando expresan un hecho **real**.

Aunque jugamos (indicativo) bien, perdimos el partido.
A pesar de que lee (indicativo) muchos libros, no sabe nada.

C) oraciones de propósito:
de manera que, para que, a fin de que, con (el) propósito de que

Te doy el dinero *para que* te **compres** los libros.

De manera que exige el **indicativo** cuando expresa un hecho real.

No nos paramos ni una vez, *de manera que* <u>llegamos</u> a tiempo.

D) Oraciones de restricción: *con tal (de) que, a menos que*

Con tal de que **asistan** a todas las clases, no tendrán problemas en aprobar el curso.

E) Oraciones que expresan un resultado (negativo): *sin que*

No puedo terminar *sin que* ustedes me **ayuden**.

F) Oraciones dubitativas: *quizá(s), acaso, tal vez, posiblemente*

Acaso **llegue** más tarde.
Quizá nos **veamos** allí.

¡OJO! Si estos adverbios de duda **siguen** al verbo, entonces éste se pone en **indicativo** porque se indica un grado menor de duda.

Llegará *acaso* más tarde.
Nos **veremos**, *quizá,* en Barcelona.

Después de la expresión «**a lo mejor**», sinónimo de las expresiones anteriores (*quizá(s), acaso, tal vez, posiblemente)*, se usa el **indicativo**.

A lo mejor **llega** más tarde.
A lo mejor nos **vemos** en Barcelona.

El subjuntivo se usa también en oraciones de **comparaciones superlativas.**

Diego es *el chico más mentiroso* que yo **conozca**.

EL SUBJUNTIVO – ORACIONES ADVERBIALES
CUADRO RECAPITULATIVO

Subjuntivo	Indicativo
A) Oraciones temporales cuando se trata de una **acción futura**: *cuando, después (de) que, en cuanto, hasta que, tan pronto como, luego que, mientras* *antes de que* (exige siempre el subjuntivo)	A) Cuando las oraciones temporales **no indican tiempo futuro**.
B) oraciones de concesión (acciones futuras no realizadas): *a pesar de que, aunque, por más que*	B) oraciones de concesión **cuando expresan un hecho real**: *a pesar de que, aunque, por más que*
C) oraciones de propósito: *de manera que, para que, a fin de que, con (el) propósito de que*	C) oraciones de propósito: **«de manera que»** exige el indicativo cuando **expresa un hecho real**
D) Oraciones de restricción: *con tal (de) que, a menos que*	
E) Oraciones que expresan un resultado (negativo): *sin que*	
F) Oraciones dubitativas: *quizá(s), acaso, tal vez, posiblemente*	F) Si las expresiones dubitativas siguen al verbo, se usa el indicativo porque se indica un grado menor de duda.
	G) Después de la expresión «**a lo mejor**», se usa el indicativo.

Completa cada frase con el **presente de subjuntivo** del verbo más adecuado.

preparase, bajar, pasar, terminar, dejar

1) No podemos comprar una casa hasta que **baje** el tipo de interés.
2) Tan pronto como ____________ de llover, podremos ir afuera.
3) Te lo digo ahora para que ____________ bien.
4) Estoy enfermo y no puedo devolverte el libro, a menos que ____________ a recogerlo.
5) Con tal de que ____________ tus tareas, puedes ir a jugar con tus compañeros.

equivocarse, decir, salir, llegar, enojarse

6) Antes de que ____________ para el extranjero, avísame.
7) En cuanto ____________ tu sustituto, puedes marcharte.
8) No los dejaremos en libertad hasta que no ____________ todo lo que saben del asunto.
9) ¡Basta ya! Lárgate antes de que (yo)____________ de verdad.
10) Les indicamos el buen camino, a fin de que no ____________

estar, venderse, llegar, entender, confesar

11) A pesar de lo que usted ____________, yo estoy convencido de que no es así.
12) Aunque ustedes no ____________ todo, es una buena idea ver películas en español.
13) Compra unas percas, a menos que no ____________ frescas.
14) Cuando ____________ la mercancía, avisadme porque quiero revisarla yo mismo.
15) Tenemos que emprender una campaña publicitaria para que nuestros productos ____________ mejor.

1

2

4

5

6

8

10

14

13

volver, decidirse, largarse, colaborar, poder, conocer

16) Cuando ________________, venga a verme.
17) Le doy mi número de teléfono de manera que usted __________ llamarme para arreglar una entrevista.
18) Lo haré sola, sin que nadie ________________ conmigo.
19) Es el chico más fuerte que yo ________________.
20) Bueno, te devuelvo el dinero con tal de que ______________ de aquí y no ________________ nunca más.

19

20

Completa cada frase con el **presente de subjuntivo** o con un tiempo adecuado del modo **indicativo.**

venir, saber, ir, tomar, hablar

21) Quizás nosotras ________________ el autobús de las tres.
22) A lo mejor, tu amiga no ________________ que hoy es tu cumpleaños.
23) Acaso tus padres ________________ portugués.
24) Posiblemente nosotras ________________ de vacaciones este invierno.
25) Quiero que Paco ________________ a la fiesta.

21

22

24

25

llover, atreverse, levantarse, llegar

26) Ellas ________________, tal vez, antes de la cena.
27) Cuando el profesor entró en la clase, los alumnos ____________________.
28) Aunque a menudo María sabe las respuestas, no ____________________ a contestar.
29) Está nublado, quizás ____________________ más tarde.

28

EL SUBJUNTIVO: FRASES REDUPLICATIVAS, EXCLAMATIVAS Y DESIDERATIVAS

El modo **subjuntivo** se exige en frases **reduplicativas** (ejemplo **a**), con verbos de **influencia** (desear, mandar, etc.) en frases **exclamativas** (ejemplo **b**) y en frases **desiderativas** (ejemplo **c**).

a) **Pase** lo que **pase**, yo iré allí. (frase **reduplicativa**)
b) ¡Que lo **pases** bien! (frase **exclamativa**)
c) ¡Ojalá **haga** buen tiempo mañana! (frase **desiderativa**)

Completa cada frase con el **presente de subjuntivo** del verbo más adecuado.

1) **Diga** lo que **diga**, yo no lo creo. (decir)

2) _______________ lo que _______________, (nosotras) iremos al baile. (pasar)

3) ¡Que te _______________ bien! (ir)

4) Lo (tú) _______________ o no lo _______________, yo no estudiaré para ingeniero. (querer)

5) ¡Que (ustedes) _______________ bien! (descansar)

6) Te _______________ o no te _______________, tienes que hacer el servicio militar. (gustar)

7) _______________ quien _______________, le dirás que no estoy aquí. (llamar)

8) _______________ como _______________, todavía vende muchos discos. (cantar)

9) _______________ como _______________, las películas americanas son populares en muchos países. (ser)

10) ¡Que (ustedes) _______________ (tener) suerte y que _______________ (ganar) el premio gordo!

11) ¡Ojalá Carmencita no _______________ de nosotras! (olvidarse)

12) Que usted _______________ o no _______________ muy ocupado, no me interesa; lo que me importa es que usted cumpla con las condiciones del contrato que yo firmé con su empresa. (estar)

2

4

5

6

9

12

13) ¡Que (ustedes) _______________ felices en su nueva vida! (ser)

14) ¡Ojalá nosotras _______________ ir a verles pronto! (poder)

15) —¡Que os _______________ bien el negocio! (salir)
—Gracias.

16) _______________ lo que _______________, puedo asegurarles que en esta región no hay osos. (ver)

17) _______________ quien _______________, invito a todos los conciudadanos a salir a la calle para festejar la participación de nuestro equipo a la final del Mundial. (ganar)

18) ¡Ojalá (nosotros) _______________ un fin de semana tranquilo en el campo! (pasar)

16

17

18

LOCUCIONES Y PROVERBIOS

como Pilato / sucia en casa / oyen / es sueño / el chocolate espeso / buena / rebasar la copa / vienen solas / se las lleva el viento / izquierdo

1) La última gota hace **rebasar la copa**

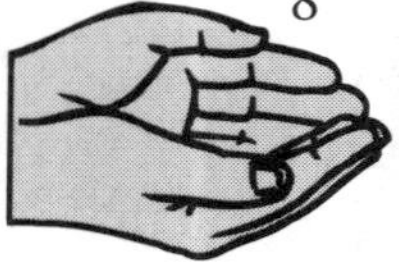

2) La vida ____________________

3) Las cuentas claras y ____________________

4) Las desgracias nunca ____________________

5) Las palabras ____________________

6) Las paredes ____________________

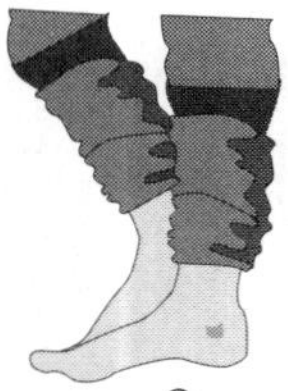

7) Lavar la ropa ____________________

8) Lavarse las manos ____________________

9) Levantarse con el pie ____________________

10) Librarse de una ____________________

8

9

3

10

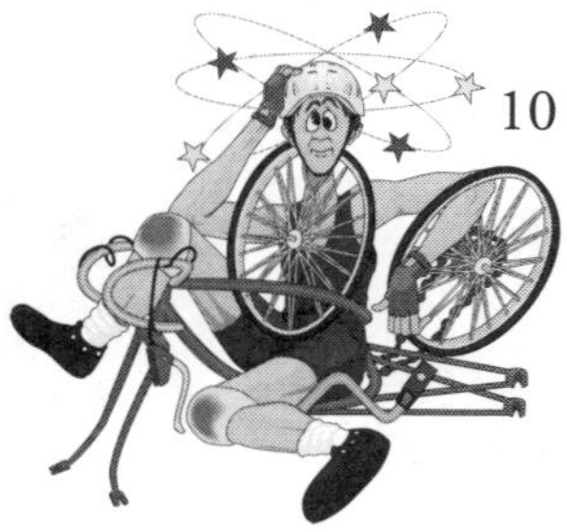

1

5

palabras

palabras

palabras

8

4

CONTRASTE – INDICATIVO / SUBJUNTIVO

Completa cada frase con el **presente** o el **futuro de indicativo** o con el **presente de subjuntivo**, según el contexto de cada frase.

1) Insisto en que (tú - ir) ____**vayas**____ a trabajar.
2) Pedro (ir) ____**va**____ a la oficina en autobús.
3) Es necesario que (nosotros - salir) ____________ de este apuro pronto.
4) Llámanos cuando (llegar) ____________ alaeropuerto.
5) Te ruego que (dejar) ____________de ver a esas personas.
6) Hace varios años que no (yo - ver) ____________ a Susana.
7) —¿Qué (ustedes - pensar) ____________ de Horacio?
—Bueno, (parecer) ____________ un hombre honesto.
8) Queremos que (ustedes - quedarse) ____________ en casa con nosotros.
9) Te aconsejo que (tener) ____________cuidado con ese tío.
10) —¿(tú - tener) ____________ miedo de los ratones?
—Sí, los ratones me (dar) ____________ mucho miedo.
11) Siento que (ustedes - poder) no ____________ asistir.
12) Lamentamos que (ellos - irse) ____________ sin ver un espectáculo del famoso Ballet Folklórico de México.
13) Los Ramírez (irse) ____________ la semana próxima.
14) Es una pena que vosotros no (apreciar) ____________ este tipo de música.
15) Es dudoso que Augusto nos (reconocer) ____________ después de tantos años.
16) Creo que mañana (hacer) ____________ buen tiempo.
17) Elena no cree que (ellos - mudarse) ____________ este año.
18) No hay nadie que (querer) ____________ ayudarnos.
19) No hay nadie aquí que (apoyar) ____________ tu proposición.
20) Vámonos a casa antes de que (empezar) ____________ a nevar.

1

4

10

12

14

16

21) Aunque (yo - ganar) ______________ la lotería, no dejaré mi trabajo.

22) A menos que Rodrigo (presentarse) __________________ en diez minutos, anulamos la reunión.

23) De vez en cuando, Ana desaparece sin que yo (darse) __________________ cuenta.

24) Quizás (nosotras - discutir) __________________ de eso la próxima vez.

25) Quizá (venir) __________________ mi primo de Paraguay.

26) A lo mejor, Paco no (venir) __________________.

27) En caso de que no me (tú - encontrar) __________________ en casa, entonces llámame por teléfono a mi oficina.

28) El verano no puedo, pero tal vez (ir) __________________ en otoño.

29) Mientras (durar) __________________ el buen tiempo, nos quedaremos aquí.

30) Tan pronto como (yo - recibir) __________________ una oferta de trabajo, la aceptaré.

31) Cada vez que pasamos las vacaciones en España, (alojarse) __________________ en hostales.

32) ¡Que lo (ustedes -pasar) __________________ bien!

33) (Él - saber) __________________ lo que (saber) ______________, no creo que (ser) ______________ tan inteligente como dicen.

34) Es la niña más astuta que (yo - conocer) __________________.

35) Esa compañía (disponer) __________________de mucho capital.

36) Desafortunadamente cada año, muchas personas (divorciarse) __________________.

NOMBRES  VERBOS

Escribe los **nombres** (y los artículos) que corresponden a los **verbos** siguientes o viceversa.

1) el aumento ______ **aumentar** ______
2) el grito ____________________
3) crecer ____________________
4) acordar ____________________
5) la pelea ____________________
6) llegar ____________________
7) entrar ____________________
8) castigar ____________________
9) festejar ____________________
10) asustar ____________________
11) quejarse ____________________
12) reservar ____________________
13) ganar ____________________
14) el fracaso ____________________
15) arreglar ____________________
16) la sospecha ____________________
17) nacer ____________________
18) mudar ____________________
19) divertir ____________________
20) el aterrizaje ____________________

IMPERFECTO DE SUBJUNTIVO

Para formar el **imperfecto de subjuntivo** se toma la **tercera persona plural** del **pretérito de indicativo**, se elimina **–ron** y se añaden las terminaciones apropiadas.

	habl**ar**	com**er**	viv**ir**
3ra pers. plur. del pretérito de indicativo	habla***ron***	comie***ron***	vivie***ron***

IMPERFECTO DE SUBJUNTIVO

(que) yo	habla***ra***	comie***ra***	vivie***ra***
(que) tú	habla***ras***	comie***ras***	vivie***ras***
(que) usted/él/ella	habla***ra***	comie***ra***	vivie***ra***
(que) nosotros/as	hablá***ramos***	comié***ramos***	vivié***ramos***
(que) vosotros/as	habla***rais***	comie***rais***	vivie***rais***
(que) ustedes/ellos/ellas	habla***ran***	comie***ran***	vivie***ran***

¡OJO! Fíjate que las terminaciones de las tres conjugaciones son iguales.

Nota el uso del acento ortográfico en la raíz de la primera persona plural (habl**á**ramos / comi**é**ramos / vivi**é**ramos para mantener la misma pronunciación.

Existen también terminaciones paralelas para las tres conjugaciones:
-se, -ses, -se, -semos, -seis, -sen) pero estas terminaciones son menos frecuentes.

USO DEL IMPERFECTO DE SUBJUNTIVO

El **imperfecto de subjuntivo** se usa en oraciones subordinadas en el *pasado:*

A) después de verbos que expresan *deseo, sentimiento, necesidad, mandato, consejo, etc.*

Yo *quería* que Luis **cambiara** de profesión, pero no lo hizo.

A

B) después de algunas *«expresiones impersonales».*

Fue importante que nosotras **participáramos** en el juego.

C

C) después de *verbos de duda, negación e incertidumbre.*

Cuando era joven, Roberto no creía que Dios **existiera**.

D) donde hay un *antecedente de valor negativo o inespecífico (indefinido).*

No había quien **aguantara** a aquel chico mimado.

E) después de *ciertas frases adverbiales.*

Nuestros padres nos prestaron el dinero

para que pudiéramos comprar la casa.

E

Completa con el **imperfecto de subjuntivo** del verbo más adecuado.

devolver, poder, comprar, dormir, aumentar

1) La niña insistía en que yo le ____**comprara**____ un helado.
2) Nos pidieron que les ________________ el dinero lo más pronto posible.
3) Mis amigos dudaban que yo ________________ nadar tanto tiempo sin parar.
4) El médico le recomendó que ________________ un mínimo de siete horas.
5) Como era un buen empleado, era lógico que le ________________ el sueldo.

hablar, ser, levantarse, contratar, seguir

6) Los padres de Luis dudaban que él ________________ en esa carrera.
7) La profesora prohibía que los estudiantes ________________ otra lengua durante la clase de español.
8) Preferiría que (nosotras) ________________ muy temprano mañana.
9) No pensábamos que el señor Arciniegas ________________ tan tacaño.
10) Fue necesario que nosotras ________________ personas bilingües.

girar, salir, elegir, cambiar, pasar (2)

11) Decidimos irnos de vacaciones ________________ lo que ________________.
12) Los padres no permitieron que sus hijos ________________ tan tarde.
13) El policía prohibió que los coches ________________ a la derecha.
14) Pedro le aconsejó que ________________ de trabajo.
15) El ejército se opuso a que el gobierno ________________ un nuevo presidente.

1

2

7

9

11

13

saber, practicar, venir, ir, aprobar

16) Queríamos que Gustavo ____________________ a nuestra fiesta.

17) Estela nos invitó para que (nosotros) ______________________ a la playa con ella.

18) Buscábamos un guía turístico que ______________________ un mínimo de tres idiomas.

19) Mi profesora insistió en que yo ____________________________ el violín todos los días.

20) Mi familia se alegró mucho de que yo ______________________ todas las asignaturas.

anunciar, perderse, jugar, abrigarse, robar

21) Temíamos que ellos ______________________ porque no conocían el camino.

22) Los espectadores lamentaban que los dos equipos ______________________ tan mal.

23) Nos extrañó que Gonzalo no __________________________ su candidatura al puesto de secretario del partido.

24) Fue necesario que nosotros _______________________________ bien para nuestra excursión en la sierra.

25) Ramón negó que su hermano ______________________ el dinero.

ahorrar, dedicarse, gustar, incriminar, interesar

26) Ellas no creían que nosotros __________________________ tanto dinero en un año.

27) No encontramos nada en el mercado que nos ______________________.

28) No visitamos ninguna casa que nos ______________________.

29) La policía no encontró ninguna prueba para que se _________________________ a Germán.

30) No había nadie que ______________________________ a su profesión como Félix.

16

19

20

22

24

25-26

27

llegar, dar, disculparse, explicar, hacerse

31

31) Los estudiantes le pidieron a la profesora que les ________________ la regla gramatical.

32) Les rogué que me __________________ la respuesta antes del martes próximo.

33

33) Te indiqué el camino más corto para que __________________ cuanto antes.

34) Os prohibí jugar allí porque no quería que ___________________ daño.

35) Ramón y Raquel exigieron que nosotros ____________________ ________________________ por lo que habíamos dicho de ellos.

34

consultar, aclararse, gustar, ofender, hablar

36) La policía lanzó una investigación para que _________________ la misteriosa desaparición de un cuadro muy famoso.

37) Lucía convenció a Inés para que __________________________ su caso con un abogado.

36

38) Aunque ese chalet nos __________________, no podríamos comprarlo.

39) Héctor sintió mucho que sus comentarios me ________________.

40) Nos extrañó que Isabel __________________ inglés tan bien.

37

OTROS USOS DEL IMPERFECTO DE SUBJUNTIVO

1) El **imperfecto de subjuntiv**o se combina con el **modo condicional** para expresar *condiciones irreales* o *imposibles.*

Si **tuviera** bastante dinero, *iría* de vacaciones este verano.

(en realidad no tengo bastante dinero y no iré de vacaciones)
Este uso del imperfecto de subjuntivo se estudiará más tarde.

Pero: Si **tengo** bastante dinero, *iré* de vacaciones. (presente de indicativo)
(es posible que tenga bastante dinero y que vaya de vacaciones)

2) **Quisiera** se usa para indicar deseo.
(«quisiera» es el imperfecto de subjuntivo de «querer»)

Quisiera (yo) aprender varias lenguas.

3) Frases exclamativas de deseo con «**ojalá**», «**quién**».

¡*Ojalá* nuestro ídolo **diera** un espectáculo!
¡*Quién* **pensara** tal cosa!

4) Frases reduplicativas o repetitivas.

Hiciera lo que **hiciera**, mis padres nunca estaban contentos.

Completa con el **imperfecto de subjuntivo** del verbo que está entre paréntesis.

1) ___**Fuera**___ quien ___**fuera**___, no lo dejes entrar. (ser)
2) ¡Ojalá (yo) ________________ una medalla de oro en los Juegos Olímpicos! (ganar)
3) ¡Quién ________________ eso de Pablo! (imaginarse)
4) ¡Quién ________________ averiguarlo! (poder)
5) ¡Ojalá no ________________ tanto frío! (hacer)
6) ¡Ojalá ________________ más tiempo libre para poder descansar y viajar! (tener)
7) (Ellos) ________________ lo que ________________, ya nadie les hacía caso. (predicar)
8) ¡Quién lo ________________! (creer)
9) (Nosotros)________________ aprender a jugar al tenis, pero no hay ninguna cancha cerca de nuestra casa. (querer)
10) ¡Ojalá ________________ este proyecto esta semana! (terminarse)
11) Ellos ________________ trabajar en el turno de noche. (querer)

2

5

6

9

USO DEL «SI» CONDICIONAL

1) Para expresar una **condición posible** en el *presente* o en el *futuro* se utiliza «**si**» seguido del **presente** de indicativo y del **futuro** de indicativo.

si + presente de indicativo + futuro de indicativo

Si **tengo** suficiente dinero, ***iré*** de vacaciones.
(Es posible que tenga suficiente dinero y que vaya de vacaciones.)

2) El **imperfecto de subjuntiv**o se combina con el **modo condicional** para expresar **condiciones irreales** o **imposibles** (en el *presente* o en el *futuro*).

si + imperfecto de subjuntivo + condicional

Si **tuviera** suficiente dinero, ***iría*** de vacaciones este verano.
(En realidad no tengo suficiente dinero y no iré de vacaciones.)

3) ***Si + pluscuamperfecto de subjuntivo + condicional perfecto*** se utiliza para expresar **condiciones irreales** o **imposibles** en el *pasado*.

si + pluscuamperfecto de subjuntivo + condicional perfecto

Si **hubiera tenido** suficiente dinero, ***habría ido*** de vacaciones.
(En realidad no tuve suficiente dinero y no fui de vacaciones.)

¡OJO! El *pluscuamperfecto de subjuntivo* puede sustituir al *condicional perfecto* en este tipo de frase.

Si **hubiera tenido** suficiente dinero, ***hubiera ido*** de vacaciones.

¡OJO! Ni el *futuro*, ni el *condicional*, ni el *presente de subjuntivo* pueden utilizarse después de la partícula condicional «**si**». Debe utilizarse, como acabamos de ver, el *presente de indicativo,* el *imperfecto de subjuntivo* o el *pluscuamperfecto de subjuntivo*.

Escribe la forma correcta del verbo que está entre paréntesis.

si + presente de indicativo + futuro de indicativo

1) Si tenemos tiempo, **iremos** (ir) a visitarte.
2) Si llueve, no (nosotros - ir) ________________ afuera.
3) Si me llamas a las nueve, (estar) ________________ en casa.
4) Si usted acepta nuestra oferta, le (dar) ________________ un buen salario.
5) Si necesitas más dinero, (tener) ________________ que pedir un préstamo al banco.

6) Si Pepe es inteligente, (comprender) ____________________ el problema enseguida.

7) Si vosotras acampáis en el bosque, (tener) ________________ que llevar comida y agua.

8) Si ella sigue un régimen, (adelgazar) ________________ .

9) Si ustedes se alojan en ese hostal, no (ser) ________________ caro.

10) Si te interesa, (nosotras - poder) ________________ hacerlo juntas.

11) Si (tú - querer) ________________ hacerte médico, tendrás que estudiar muchísimo.

12) Si (nosotras - poder) ________________ trabajar hasta las nueve, terminaremos todo el trabajo.

13) Si Enrique (ir) ________________ a Perú, visitará Machu Picchu (ciudad sagrada de los incas descubierta en 1911) y Cuzco (antigua capital del imperio incaico).

14) Si ustedes (ir) ________________ a Argentina, tendrán que visitar las hermosas cataratas de Iguazú (frontera de Brasil, Paraguay y Argentina).

15) Si nosotros (ganar) ________________ el gordo, haremos un viaje alrededor del mundo.

16) Si vosotras lo (tomar) ________________ en serio, estoy seguro que todo saldrá bien.

17) Si Mariela me (dar) ________________ su dirección, le mandaré una tarjeta postal.

18) Si ustedes (jugar) ________________ con nosotras, ganaremos el partido.

19) Si (tú - volver) ________________ a casa antes de medianoche, te esperaré.

20) Si (yo- salir) ________________ esta noche, pasaré por tu casa.

7

11

14

17

18

si + imperfecto de subjuntivo + condicional

21) Si (nosotros - ganar) **ganáramos** la lotería, nos compraríamos una casa en la playa.

22) Si (tú - levantarse) ______________ temprano, llegarías a tiempo.

23) Si (nosotras - comprender) ______________________________ francés, apreciaríamos más la ópera Carmen de Georges Bizet.

24) Si no (ser) ____________ tan tarde, nos quedaríamos un poco más.

22

si + imperfecto de subjuntivo + condicional

25) Si (vosotros - tomar) ________________ menos café, no estaríais tan nerviosos.

26) Si ustedes (leer) ________________ más, harían menos errores de ortografía.

27) Si (nosotros - exportar) ____________________ este producto, nuestras ventas aumentarían substancialmente.

28) Si (nosotras - vivir) ________________ en España, aprenderíamos la lengua más rápidamente.

29) Si mi familia (estar) __________ aquí, me sentiría menos aislado.

30) Si mi casa no (ser) ________________ tan vieja, no la vendería.

31) Si no saliera tanto, (tener) ________________ más tiempo para hacer mis deberes.

32) Si escuchara más música clásica, la (apreciar) ______________.

33) Si nos sirvieran enseguida, no (llegar) ______________________ tarde a la oficina.

34) Si Miguel durmiera un poco más, no (estar) ________________ tan cansado.

35) Si mi abuelo oyera bien, no (ser) ________________ necesario hablar en voz alta.

36) Si ustedes vieran lo que hemos hecho, estoy seguro que les (gustar) ________________.

37) Si usted dijera la verdad, (nosotros - ayudar) le ______________.

38) Si supiera las respuestas, te las (dar) ________________.

39) Si Guillermo me entregara la mercancía para mañana, se lo (agradecer) ____________________.

40) Si pusieran un anuncio en el periódico, (encontrar) ____________ ____________________ a la persona adecuada.

25 28 30 32 Restaurante 33 40 42

si + pluscuamperfecto de subjuntivo + condicional perfecto

Ver las páginas 156 y 147 para la conjugación de estos dos tiempos.

41) Si (tú - estudiar) **hubieras estudiado** más, habrías aprobado el curso.

42) Si ustedes (apurarse) ______________________________, ya habrían terminado las tareas.

si + pluscuamperfecto de subjuntivo + condicional perfecto

43) Si (tú - venir) ______________________ con nosotros, te habrías divertido.

44) Si Rafael me (escuchar) ______________________, no se habría equivocado.

45) Si yo (quedarse) ______________________ más tiempo en Austria, ya habría aprendido alemán.

46) Si (ellos) no me (ofrecer) ______________________ una promoción, me habría ido a trabajar al extranjero.

47) Si no (tú - estar) ______________________ tan borracho, no habrías dicho esas tonterías.

48) Si el tren (salir) ______________________ a tiempo, ya habríamos llegado a Madrid.

49) Si ustedes (estar) ______________________ allí, habrían visto un espectáculo magnífico.

50) Si (nosotros - tener) ______________________ más paciencia, habríamos podido convencerles.

51) Si hubieras mandado un telegrama, ya lo (yo - recibir) ______________________.

52) Si hubieran reparado el coche, (ellos - poder) ______________________ ir a esquiar.

53) Si les hubiéramos enseñado el camino, (ellos - perderse) no ______________________.

54) Si hubiera tomado un taxi, (yo - pagar) ______________________ mucho más.

55) Si Carlos no hubiera intervenido, se (armar) ______________________ un escándalo.

56) Si hubiera nevado, (nosotros - esquiar) ______________________.

57) Si el chofer hubiera visto al motociclista, (frenar) ______________________ a tiempo para evitar el accidente.

58) Si hubiéramos controlado los gastos, no (declarar) ______________________ bancarrota.

59) Si hubiéramos llegado a un acuerdo, no (ser) ______________________ necesario armar un pleito.

47

49

52

54

56

59

EMOCIONES / EXPRESIONES

gritar, la tensión, aburrida, contento/feliz, asustada, sorprendido
apenado, enojada, triste, tímida/vergonzosa, reír, asqueroso

PRETÉRITO PERFECTO DE SUBJUNTIVO

El **pretérito perfecto de subjuntivo** se forma usando el *presente de subjuntivo* del auxiliar *haber* y el *participio*.

	HABER	PARTICIPIO
...(que) yo	haya	
...(que) tú	hayas	
...(que) él, ella, usted	haya	hablado / comido / vivido
...(que) nosotros/as	hayamos	
...(que) vosotros/as	hayáis	
...(que) ellos, ellas, ustedes	hayan	

Para la formación del participio ver la página 148.

El **pretérito perfecto de subjuntivo** se usa en:

1) oraciones subordinadas:
   Dudo que ya **hayan hecho** los deberes.
   Me alegro que **hayas dejado** la bebida definitivamente.
2) en oraciones independientes:
   a) oraciones exclamativas / desiderativas:
      ¡Ojalá **hayan invertido** dinero en las acciones de esa compañía!
   b) oraciones dubitativas
      Quizás **hayan salido** por la puerta de atrás.
   c) oraciones reduplicativas
      Haya hecho lo que **haya hecho**, ya es hora de perdonarlo.

Completa con el **pretérito perfecto de subjuntivo** del verbo que está entre paréntesis.

2

1) Lamento que (tú) **hayas tenido** que venir aquí a esta hora. (tener)
2) Es probable que el tren ______________________ un poco más tarde de la hora prevista. (salir)
3) No creo que le ______________________ el puesto a Manolo. (ofrecer)
4) Tal vez Pepe ______________________ quedarse de vacaciones unos días más. (decidir)
5) Es posible que Gustavo ______________________ la puerta. (abrir)
6) Aunque ______________________, todavía tiene un aspecto muy joven. (envejecer)

4

5

7) Es posible que la policía ______________________ esa calle al tráfico a causa del gran accidente que ocurrió allí. (cerrar)

8) Dudo que (tú) ______________________ todas las ruinas incaicas. (visitar)

9) Nos alegramos que nuestra hija ______________________ los estudios este año. (terminar)

10) Mi amigo duda que yo ______________________ ganar a la mejor tenista del club. (poder)

11) ¡Ojalá Dorotea ______________________ ya de su viaje a Suiza! (volver)

12) Quizás (ellos)______________________ tarde esta mañana. (levantarse)

13) (Tú) ______________________ lo que ______________________, te perdonamos. (decir)

14) ¡Ojalá le ______________________ un premio en la lotería a nuestro amigo! (tocar)

10

11

14

LOCUCIONES Y PROVERBIOS

de perros / que mal acompañado / se llevó / que ciento volando / que nunca / de un tiro / y al vino vino / el espejo del alma / que bueno por conocer / se aprende el oficio

1) Lo que el viento **se llevó**
2) Los ojos son ____________________
3) Llamar al pan pan ____________________
4) Llevar una vida ____________________
5) Machacando ____________________
6) Más vale estar solo ____________________
7) Más vale malo conocido ____________________
8) Más vale pájaro en mano ____________________
9) Más vale tarde ____________________
10) Matar dos pájaros ____________________

NOMBRES  VERBOS

Escribe los **nombres** (y los artículos) que corresponden a los **verbos** siguientes o viceversa.

1) descubrir **el descubrimiento**
2) repasar ____________
3) pasear ____________
4) coleccionar ____________
5) remediar ____________
6) el plan ____________
7) limpiar ____________
8) el anuncio ____________
9) permitir ____________
10) prohibir ____________
11) probar ____________
12) respirar ____________
13) el examen ____________
14) el consejo ____________
15) heredar ____________
16) perder ____________
17) el peso ____________
18) aburrir ____________
19) recibir ____________
20) eliminar ____________
21) obedecer ____________
22) el despegue ____________

CORRELACIÓN DE LOS TIEMPOS (SUBJUNTIVO)

El **presente de subjuntivo** se usa en una oración subordinada cuando el verbo de la **oración principal** está en **presente**, en **futuro**, en **pretérito perfecto de indicativo,** o en **imperativo** y la acción de la *oración subordinada* ocurre al **mismo tiempo** o es **posterior** a la acción de la *oración principal*.

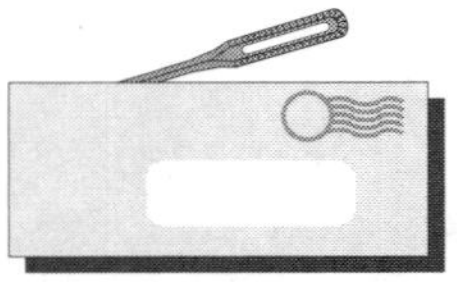

Quiero (presente) que Carlos **escriba** una carta a su primo.
Le *diré* (futuro) a Carlos que **escriba** una carta a su primo.
Dile (imperativo) a Carlos que **escriba** una carta a su primo.
Le *he dicho* (pretérito perfecto) a Carlos que **escriba** una carta a su primo.

Se usa el **pretérito perfecto de subjuntivo** en la *oración subordinada* si la acción de ésta (la *oración subordinada*) es **anterior** a la acción de la *oración principal*.

Es una pena que no **hayas visitado** las ruinas mayas en Yucatán (México).

El **imperfecto de subjuntivo** se usa cuando el verbo de la **oración principal** está en un tiempo **pasado** (**pretérito**, **pretérito perfecto**, **imperfecto, pluscuamperfecto**) o en el **modo condicional** y la acción de la *oración subordinada* ocurre al **mismo tiempo** o es **posterior** a la acción de la *oración principal*.

Él *quería* (imperfecto) que tú lo **visitaras**.
Le *aconsejé* (pretérito) que no **dejara** su trabajo.
Les *he dicho* (pretérito perfecto) que **fueran** a jugar afuera.
Nos *habían prohibido* (pluscuamperfecto) que **fumáramos** en casa.
Me *gustaría* (condicional) que me **llamaras** por teléfono.

Se usa el **pluscuamperfecto de subjuntivo** en la *oración subordinada* si la acción de ésta (la *oración subordinada)* es **anterior** a la acción de la *oración principal*.

No creía que ellos **hubieran podido** llegar a esa hora.

RESUMEN: CORRELACIÓN DE LOS TIEMPOS (SUBJUNTIVO)

oración principal		oración subordinada
presente de indicativo futuro de indicativo pretérito perfecto de indicativo imperativo	que	presente de subjuntivo[1] pretérito perfecto de subjuntivo[2]
imperfecto de indicativo pretérito de indicativo pretérito perfecto de indicativo pluscuamperfecto de indicativo condicional	que	imperfecto de subjuntivo[1] pluscuamperfecto de subjuntivo[2]

[1] cuando la acción de la *oración subordinada* ocurre al mismo tiempo o es posterior a la acción de la *oración principal*.
[2] cuando la acción de la *oración subordinada* es anterior a la acción de la *oración principal*.

Completa cada frase con el **presente de subjuntivo** o con el **imperfecto de subjuntivo**, según convenga a cada frase.

1) Es necesario que **se termine** esto en seguida. (terminarse)
2) Dudo que Pepe ______________ todo lo que ha ocurrido. (saber)
3) Si quieres adelgazar es necesario que (tú) ______________ (comer) menos y que ______________ (hacer) más gimnasia.
4) El niño quería que su padre le ______________ un juguete. (comprar)
5) Para ganar el partido será necesario que el equipo _______ ______________ totalmente. (concentrarse)
6) El dictador no imaginaba que su sucesor ______________ democráticamente. (gobernar)
7) Cuando era pequeño, me disgustaba que me ______________ Paquito. (llamar)
8) Nos gustaría que ustedes ______________ en el mismo hotel que nosotros. (alojarse)
9) Prohibo que se ______________ en mi casa. (fumar)
10) Te aconsejé que no ______________ allí. (ir)
11) Dile a Pedro que ______________ aquí enseguida. (venir)
12) Les dijimos que nos ______________ eso por correo. (enviar)
13) Sería estupendo que (tú) ______________ alemán porque el año próximo podríamos ir de vacaciones a Austria. (aprender)
14) Me extrañó mucho que Luis ______________ sin despedirse de nosotros. (irse)
15) Le he dicho a mi secretario que ______________ la carta para mañana. (redactar)
16) A nosotras nos molesta que nos ______________ piropos. (echar)
17) Ella nos ordenó que le ______________ una respuesta sin más tardar. (dar)
18) Él quería que (nosotros) le ______________ en su casa de campo. (visitar)
19) Lamento que ustedes no ______________ adoptar a ese niño. (poder)
20) El propietario dudaba que los empleados ______________ una huelga. (organizar)

3 ↕

4

9

12

HUELGA

20

LA PROHIBICIÓN

infinitivo	tú	usted	nosotros/as	vosotros/as	ustedes
hablar **imperativo** **prohibición**	 habl**a** no habl***es***	 habl**e** no habl***e***	 habl**emos** no habl***emos***	 habl**ad** no habl***éis***	 habl**en** no habl***en***
comer **imperativo** **prohibición**	 com**e** no com***as***	 com**a** no com***a***	 com**amos** no com***amos***	 com**ed** no com***áis***	 com**an** no com***an***
vivir **imperativo** **prohibición**	 viv**e** no viv***as***	 viv**a** no viv***a***	 viv**amos** no viv***amos***	 viv**id** no viv***áis***	 viv**an** no viv***an***
bañarse **imperativo** **prohibición**	 báñ**a**te no te bañ**es**	 báñ**e**se no se bañ***e***	 bañ**émo**nos no nos bañ***emos***	 bañ**aos** no os bañ**éis**	 báñ**en**se no se bañ***en***

¡OJO! Con las **prohibiciones** los *pronombres personales* (me, te, le, lo, la, etc. ...) se ponen **delante** del **verbo.**

imperativo (*después* del verbo)	**prohibiciones** (*delante* del verbo)
Di**me** algo.	No **me** digas nada.
Levánta**te** temprano.	No **te** levantes temprano.
Dá**selo** mañana.[1]	No **se lo** des mañana.[1]

[1] El *complemento indirecto [se]* **precede** al complemento directo *[**lo**]*.

Carlota quiere hacer las cosas siguientes. Dile que no las haga. Escribe una frase para explicarle por qué no debe hacerlas.

1) apagar la luz
No apagues la luz porque quiero leer el periódico.

2

2) vender su bicicleta

____

____

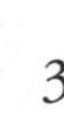

3

3) abandonar los estudios

____

____

4) enviar cosas de valor por correo

____

____

4

5) comprar billetes de lotería

____

____

6) decir mentiras

____

____

7) ir a Alaska en invierno

____

____

8) cambiar de coche

____

____

9) poner la mesa ahora

____

____

10) ver la televisión toda la tarde

____

____

11) prestar dinero a los amigos

____

____

12) tomar demasiado sol

____

____

13) desanimarse

____

____

14) acostarse tarde

____

____

15) gastar demasiado dinero

____

____

ALASKA

7

8

9

10

12

13

15

16) ensuciar la habitación

17) pelearse con sus compañeros

18) alejarse de la casa

19) desobedecer a sus padres

20) enchufar la radio en el enchufe de la cocina

21) cansarse jugando al balonvolea (voleibol)

22) insultar a sus amigos

16

17

20

21

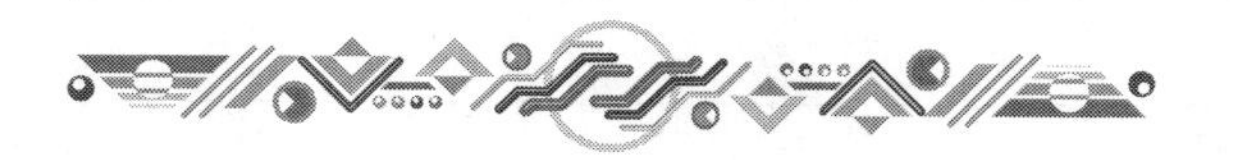

LOCUCIONES Y PROVERBIOS

ni pío / lo que no tiene / profeta en su tierra / hacen un mucho / que habla / hay esperanza / a lo imposible / con rodeos / lo que puedes hacer hoy / la pata

1) Meter ______ **la pata** ______

2) Miente más ____________________

3) Mientras hay vida ____________________

4) Muchos pocos ____________________

5) Nadie es ____________________

6) Nadie está obligado ____________________

7) Nadie puede dar ____________________

8) No andarse ____________________

9) No decir ____________________

10) No dejes para mañana ____________________

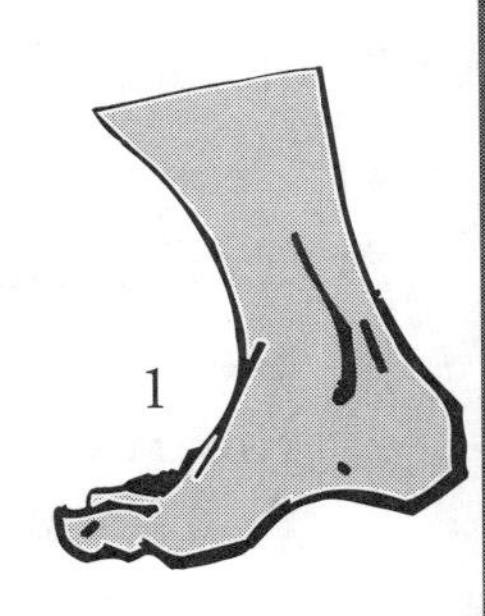

TEST (85-135)

A) Completa cada frase con el **presente** de **subjuntivo** del verbo más adecuado.

querer, poder, salir, llover, estudiar, volver

1) Es importante que (tú) ____________________ mucho para el examen.
2) Es posible que ____________________ mañana.
3) Dudo que Gustavo ____________________ a casa antes de las ocho.
4) De momento no hay nadie que ____________________ contestarle.
5) Cuando ____________________ el sol, iremos a la playa.
6) Por más que ____________________, no podrá asistir al partido.

B) Completa correctamente los **proverbios** españoles siguientes.

1) Hacer castillos ______________________________
2) Ir de mal ______________________________
3) La vida es ______________________________
4) Levantarse con el pie ______________________________
5) Más vale pájaro en mano ______________________________
6) Miente más que ______________________________
7) No dejes para mañana ______________________________

C) Escribe el **nombre** que corresponde a cada **infinitivo** o **viceversa**.

1) jugar ____________________
2) festejar ____________________
3) el despegue ____________________
4) el sabor ____________________
5) castigar ____________________
6) pasear ____________________

D) Completa cada frase con el **presente** del modo **indicativo** o **subjuntivo**.

1) Creo que (yo - irse)____________________ dentro de poco.
2) Es necesario que ustedes nos (dar) ____________________ el dinero ahora.
3) Siento que (tú - perder) ____________________ siempre, pero así es la suerte.
4) Ricardo quiere que yo ____________________ la cuenta. (pagar)
5) A lo mejor (nosotras - volver) ____________________ a casa esta noche.

E) Completa con el **imperfecto** de **subjuntivo** del verbo más adecuado.

hacer, quedarse, olvidarse, ser, tomar

1) Les dijimos que ____________________ unas vacaciones.
2) El jefe me suplicó que ____________________ hasta las ocho.
3) Temía que Miguel ____________________ de nuestra cita.
4) Dudaba que ellos ____________________ lo que habían prometido.
5) ¡Ojalá las cosas ____________________ menos complicadas!

F) Completa cada frase con el **presente** de **indicativo,** o el **imperfecto** o **pluscuamperfecto** de **subjuntivo,** según convenga al significado de cada frase.

1) Si (yo) ______________________ (tener) suficiente tiempo, haría un viaje.
2) Si (tú) no ______________________ (soportar) el calor, tendrás que sentarte a la sombra de algún árbol.
3) Si (nosotros) no ______________________ (gastar) tanto dinero, habríamos podido hacer un viaje.
4) Si (yo) ______________________ (trabajar) menos tendría más tiempo libre.

G) Completa cada frase con el **presente** o el **imperfecto** de **subjuntivo**.

1) El testigo negó que el acusado ______________________ (ser) el asesino.
2) Les ordeno que me ______________________ (escuchar) ahora mismo.
3) Dudábamos que Inés ______________________ (emigrar) a Suecia.
4) Me gustaría que mis hijos ______________________ (graduarse) de la universidad.
5) Me alegro que ustedes ______________________ (seguir) con el curso.

H) Identifica cada dibujo. Escribe el **nombre** y el **artículo** o el **infinitivo**.

infinitivo 1)______________________	profesión 2)______________________	infinitivo 3)______________________
4)______________________	5)______________________	6)______________________
infinitivo 7)______________________	infinitivo 8)______________________	9)______________________

I) Completa cada frase con el **pretérito perfecto** de **subjuntivo** del verbo más adecuado.

aprobar, encontrar, perder

1) Es posible que Teresa ya ______________________ trabajo.
2) Lamento que usted ______________________ tanto dinero en la bolsa.
3) ¡Ojalá Pancho ______________________ todas las asignaturas!

J) Escribe el **antónimo**.

1) soltero	______________	3) cobarde	______________
2) acordarse	______________	4) despierto	______________

K) Escribe la respuesta de la sección **B** que completa mejor cada número de la sección **A**.

		B
1) el coste	**de la vida (g)**	a) al olmo
2) pedir peras	______________	b) pronto
3) estoy harto	______________	c) por la muerte de su tío
4) el abuso	______________	d) están en huelga
5) hasta	______________	e) dinero
6) quisiera	______________	f) de la droga
7) está apenado	______________	g) de la vida
8) los trabajadores	______________	h) fácilmente
9) prestar	______________	i) ir a España
10) desanimarse	______________	j) de trabajar aquí

L) Escribe la **prohibición** (mandato negativo) de los verbos siguientes.

1) apagar la luz	(tú)	**no apagues la luz**
2) hablar demasiado	(tú)	______________
3) decir mentiras	(usted)	______________
4) acostarse tarde	(usted)	______________

M) Completa cada frase con **hasta**, **ya** o **todavía**.

1) Tengo ______________ el lunes para entregar la redacción.
2) ______________ veremos lo que va a pasar con eso.
3) Hemos llamado varias veces a su oficina, pero ______________ no se ha presentado al trabajo.

REGLAS DE ACENTUACIÓN

1) Las palabras que **terminan** en **consonante** con la excepción de **-n-** y **-s-**, se acentúan tónicamente en la **última sílaba**.

dor-**mir**	ca-pi-**tal**	ciu-**dad**	es-pa-**ñol**
ha-**blar**	pa-**red**	ser-**vir**	tra-ba-**jar**

2) Las palabras que **terminan** en **vocal** (**a**, **e**, **i**, **o**, **u**), o en **-n-** o **-s-**, se acentúan tónicamente en la **penúltima sílaba**.

pro-**gra**-ma	**ca**-sa	mi-**nu**-to	pro-**ble**-ma
nor-te	**ra**-dios	**ha**-blan	**jo**-ven

3) Si la pronunciación de la palabra no sigue estas dos reglas se lo indica con un **acento escrito** en la **vocal acentuada**.

Mé-xi-co	**mú**-si-cos	re-li-**gión**	**pú**-bli-co
ca-**fé**	ca-fe-te-**ría**	**ár**-bol	a-**zú**-car

4) En una **sílaba acentuada**, la **vocal fuerte** se acentúa tónicamente en **combinaciones** de una **vocal fuerte** (**a**, **e**, **o**) y una **débil** (**i,u**); en **combinaciones** de **dos vocales débiles** (**i**, **u**), la **segunda vocal** se acentúa.

vi**e**-jo	ni**e**-ve	pu**e**r-ta	con-stru**i**-do
in-vi**e**r-no	ti**e**m-po	fre-cu**e**n-te	des-tru**i**-do

5) En combinaciones de una **vocal fuerte** (**a**, **e**, **o**) y una **débil** (**i**, **u**), cuando la **vocal débil** es **acentuada**, hay siempre un **acento escrito** que **divide** las dos vocales en **dos sílabas**. Si no se escribe el acento, la combinación se hace un **diptongo** de **una sílaba** con la acentuación en la **vocal fuerte**.

ma-yo-**rí**-a	**frí**-o	con-ti-**nú**-a	pa-**ís**

6) Las palabras **interrogativas** siempre tienen acento ortográfico.

¿**Qué** hora es? ¿**Dónde** vives? ¿De **dónde** eres tú? ¿**Adónde** vais, chicos? ¿**Cómo** estás? ¿**Cuándo** vienen tus padres? ¿**Cuánto** es el reloj? ¿**Quién** es usted? ¿**Quiénes** son ellos? ¿**Por qué** estás cansado?

7) Se usa el acento ortográfico para **distinguir** entre ciertas palabras.

Esta casa es de Pedro. → (**esta** es un adjetivo demostrativo)
Ésta es mi casa. → (**ésta** es un pronombre demostrativo)
¿Dónde **está** tu casa? → (**está** es la tercera persona del presente de indicativo del verbo estar)
El señor Rojas es astuto. → (**el** es un artículo definido)
Él es rico. → (**él** es un pronombre personal)
Tu coche está sucio. → (**tu** es un adjetivo posesivo)
Tú eres un buen chofer. → (**tú** es un pronombre personal)
Ramón vive **solo**. → (**solo** es un adjetivo = sin compañía)
Sólo puedo ir hoy. → (**Sólo** es un adverbio = solamente)
—¿Vas a trabajar hoy? → (**sí** es un adverbio de afirmación y pronombre reflexivo empleado con preposición)
—Sí, voy a trabajar.
Si hace buen tiempo, vamos a ir a la playa. → (**si** es una conjunción que denota condición o hipótesis)
—¿Quieres un café?
—No, prefiero un **té**. → (**té** es un sustantivo)
—¿Cómo **te** llamas? → (**te** es un pronombre)
—Me llamo Mónica.
Este coche es **más** caro. → (**más** es un adverbio)
Tengo entradas **mas** no pienso asistir al espectáculo. → (**mas** es una conjunción = pero)

EL PRESENTE DE INDICATIVO

VERBOS REGULARES

HABLAR	COMER	VIVIR
hablo	como	vivo
hablas	comes	vives
habla	come	vive
hablamos	comemos	vivimos
habláis	coméis	vivís
hablan	comen	viven

1) Algunos verbos regulares que terminan en **-AR** (1ra conjugación) son: estudiar, trabajar, tocar, esperar, nadar, comprar, enseñar, fumar, pasar terminar, bailar, desear, tomar, etc. …
2) Algunos verbos regulares que terminan en **-ER** (2da conjugación) son; beber, responder, vender, comprender, leer, correr, deber, creer, aprender, etc. …
3) Algunos verbos regulares que terminan en **-IR** (3ra conjugación) son: escribir, recibir, asistir, subir, describir, sufrir, abrir, existir, discutir, etc. …

VERBOS IRREGULARES

SER	ESTAR	TENER	IR	VER
soy	estoy	tengo	voy	veo
eres	estás	tienes	vas	ves
es	está	tiene	va	ve
somos	estamos	tenemos	vamos	vemos
sois	estáis	tenéis	vais	veis
son	están	tienen	van	ven
HACER	**PONER**	**SABER**	**TRAER**	**DAR**
hago	**pongo**	**sé**	**traigo**	**doy**
haces	pones	sabes	traes	das
hace	pone	sabe	trae	da
hacemos	ponemos	sabemos	traemos	damos
hacéis	ponéis	sabéis	traéis	dais
hacen	ponen	saben	traen	dan
SALIR	**DECIR**	**OÍR**	**VENIR**	
salgo	**digo**	**oigo**	**vengo**	
sales	dices	oyes	vienes	
sale	dice	oye	viene	
salimos	decimos	oímos	venimos	
salís	decís	oís	venís	
salen	dicen	oyen	vienen	

A) IRREGULARIDADES VOCÁLICAS (1a. conjugación –AR)

PENSAR (E → IE)	CONTAR (O→ UE)	JUGAR (U → UE)
pienso	cuento	juego
piensas	cuentas	juegas
piensa	cuenta	juega
pensamos	contamos	jugamos
pensáis	contáis	jugáis
piensan	cuentan	juegan

empezar, comenzar, cerrar, sentarse y despertarse se conjugan como pensar

almorzar, encontrar, mostrar, acordarse y acostarse se conjugan como contar

B) IRREGULARIDADES VOCÁLICAS (2ª. conjugación –ER)

PERDER (E → IE)	VOLVER (O → UE)
pierdo	vuelvo
pierdes	vuelves
pierde	vuelve
perdemos	volvemos
perdéis	volvéis
pierden	vuelven
querer se conjuga como perder	poder se conjuga como volver

C) IRREGULARIDADES VOCÁLICAS (3ª. conjugación –IR)

SENTIR (E → IE)	DORMIR (O → UE)
siento	duermo
sientes	duermes
siente	duerme
sentimos	dormimos
sentís	dormís
sienten	duermen
preferir, mentir y divertirse se conjugan como sentir	morir(se) se conjuga como dormir

SERVIR (E → I)

sirvo	servimos
sirves	servís
sirve	sirven

pedir, repetir, vestirse, despedirse y reírse se conjugan como servir

VERBOS QUE TERMINAN EN *–CER, –CIR, –GER, –GIR*

CONOCER	PRODUCIR	COGER	DIRIGIR
conozco	produzco	cojo	dirijo
conoces	produces	coges	diriges
conoce	produce	coge	dirige
conocemos	producimos	cogemos	dirigimos
conocéis	producís	cogéis	dirigís
conocen	producen	cogen	dirigen

merecer, ofrecer, parecer y crecer se conjugan como **conocer**
conducir, lucir y traducir se conjugan como **producir**
escoger y recoger se conjugan como **coger**
corregir y exigir se conjugan como **dirigir**

VERBOS QUE TERMINAN EN –UIR , –GUIR

INCLUIR	HUIR	DISTINGUIR	SEGUIR
incluyo	huyo	**distingo**	**sigo**
incluyes	huyes	distingues	sigues
incluye	huye	distingue	sigue
incluimos	huimos	distinguimos	seguimos
incluís	huís	distinguís	seguís
incluyen	huyen	distinguen	siguen

destruir, construir y distribuir se conjugan como **incluir/huir**
perseguir se conjuga como **seguir**

EL PRETÉRITO DE INDICATIVO

VERBOS REGULARES

HABLAR	COMER	VIVIR
habl**é**	com**í**	viv**í**
habl**aste**	com**iste**	viv**iste**
habl**ó**	com**ió**	viv**ió**
habl**amos**	com**imos**	viv**imos**
habl**asteis**	com**isteis**	viv**isteis**
habl**aron**	com**ieron**	viv**ieron**

VERBOS IRREGULARES

SER, IR	DAR	VER	LEER	CAER
fui	di	vi	leí	caí
fuiste	diste	viste	leíste	caíste
fue	dio	vio	leyó	cayó
fuimos	dimos	vimos	leímos	caímos
fuisteis	disteis	visteis	leísteis	caísteis
fueron	dieron	vieron	leyeron	cayeron

OÍR	INCLUIR	HUIR	DESTRUIR	DECIR
oí	incluí	huí	destruí	dije
oíste	incluiste	huiste	destruiste	dijiste
oyó	incluyó	huyó	destruyó	dijo
oímos	incluimos	huimos	destruimos	dijimos
oísteis	incluisteis	huisteis	destruisteis	dijisteis
oyeron	incluyeron	huyeron	destruyeron	dijeron

TRAER	TRADUCIR	HACER	QUERER	VENIR
traje	traduje	hice	quise	vine
trajiste	tradujiste	hiciste	quisiste	viniste
trajo	tradujo	hizo	quiso	vino
trajimos	tradujimos	hicimos	quisimos	vinimos
trajisteis	tradujisteis	hicisteis	quisisteis	vinisteis
trajeron	tradujeron	hicieron	quisieron	vinieron

PONER	PODER	SABER	TENER	ESTAR
puse	pude	supe	tuve	estuve
pusiste	pudiste	supiste	tuviste	estuviste
puso	pudo	supo	tuvo	estuvo
pusimos	pudimos	supimos	tuvimos	estuvimos
pusisteis	pudisteis	supisteis	tuvisteis	estuvisteis
pusieron	pudieron	supieron	tuvieron	estuvieron

VERBOS CON IRREGULARIDADES VOCÁLICAS

PRIMERA Y SEGUNDA CONJUGACIONES

Los verbos de la **primera** y de la **segunda** conjugaciones que cambian de vocal en el **presente** son completamente **regulares** en el **pretérito**.

cerrar	c**ie**rro (presente–irregular)	cerré (pretérito–regular)
v**o**lver	v**ue**lvo (presente–irregular)	volví (pretérito–regular)

TERCERA CONJUGACIÓN

SERVIR (E → I)	DORMIR (O → U)
serví	dormí
serviste	dormiste
s**i**rvió	d**u**rmió
servimos	dormimos
servisteis	dormisteis
s**i**rvieron	d**u**rmieron

Otros verbos que se conjugan como **servir** son: sentir(se), pedir, preferir, mentir, divertir(se), seguir, repetir, reír(se), vestir(se), despedir(se).

Morir se conjuga como **dormir**.

CAMBIOS ORTOGRÁFICOS EN EL PRETÉRITO

VERBOS QUE TERMINAN EN –CAR

TOCAR	BUSCAR	SACAR
to**qu**é	bus**qu**é	sa**qu**é
tocaste	buscaste	sacaste
tocó	buscó	sacó
tocamos	buscamos	sacamos
tocasteis	buscasteis	sacasteis
tocaron	buscaron	sacaron

Otros verbos son **colocar** y **embarcar**.

VERBOS QUE TERMINAN EN –GAR

PAGAR	LLEGAR	ENTREGAR
pag**u**é	lleg**u**é	entreg**u**é
pagaste	llegaste	entregaste
pagó	llegó	entregó
pagamos	llegamos	entregamos
pagasteis	llegasteis	entregasteis
pagaron	llegaron	entregaron

Otros verbos son **jugar** y **juzgar**.

VERBOS QUE TERMINAN EN –ZAR

EMPEZAR	COMENZAR	GOZAR
empe**c**é	comen**c**é	go**c**é
empezaste	comenzaste	gozaste
empezó	comenzó	gozó
empezamos	comenzamos	gozamos
empezasteis	comenzasteis	gozasteis
empezaron	comenzaron	gozaron

Otros verbos son **almorzar**, **organizar**, **alcanzar** y **enlazar.**

EL IMPERFECTO DE INDICATIVO

VERBOS REGULARES

HABLAR	COMER	VIVIR
habl**aba**	com**ía**	viv**ía**
habl**abas**	com**ías**	viv**ías**
habl**aba**	com**ía**	viv**ía**
habl**ábamos**	com**íamos**	viv**íamos**
habl**abais**	com**íais**	viv**íais**
habl**aban**	com**ían**	viv**ían**

VERBOS IRREGULARES

SER	IR	VER
era	iba	veía
eras	ibas	veías
era	iba	veía
éramos	íbamos	veíamos
erais	ibais	veíais
eran	iban	veían

EL PRETÉRITO PERFECTO DE INDICATIVO

Para formar el **pretérito perfecto** se utiliza el presente del auxiliar **haber** + el **participio**.

HABER (presente)	PARTICIPIO (verbos regulares)		
HABER	**HABLAR**	**COMER**	**VIVIR**
he has ha hemos habéis han	habl*ado*	com*ido*	viv*ido*

FORMACIÓN DEL PARTICIPIO

CONJUGACIONES:	1	2	3
INFINITIVOS:	habl**ar**	com**er**	viv**ir**
PARTICIPIOS :	habl***ado***	com***ido***	viv***ido***

Se elimina la terminación del infinitivo (**–ar, –er, –ir**) y se añade **–ado** (conjugación 1) e **–ido** (conjugaciones 2 y 3).

PARTICIPIOS IRREGULARES

abrir →	**abierto**	morir →	**muerto**
cubrir →	**cubierto**	poner →	**puesto**
descubrir →	**descubierto**	romper →	**roto**
decir →	**dicho**	ver →	**visto**
escribir →	**escrito**	prever →	**previsto**
describir →	**descrito**	volver →	**vuelto**
hacer →	**hecho**	devolver →	**devuelto**

EL FUTURO DE INDICATIVO

VERBOS REGULARES

	HABLAR	COMER	VIVIR
yo	hablar**é**	comer**é**	vivir**é**
tú	hablar**ás**	comer**ás**	vivir**ás**
él, ella, usted	hablar**á**	comer**á**	vivir**á**
nosotros/as	hablar**emos**	comer**emos**	vivir**emos**
vosotros/as	hablar**éis**	comer**éis**	vivir**éis**
ellos/as/ustedes	hablar**án**	comer**án**	vivir**án**

VERBOS IRREGULARES – GRUPO I

Para obtener la *raíz* del **futuro** de los verbos siguientes se omite la «**e** »de la raíz del infinitivo.

	PODER	SABER	QUERER	HABER	CABER
yo	po**dr***é*	sa**br***é*	que**rr***é*	ha**br***é*	ca**br***é*
tú	po**dr***ás*	sa**br***ás*	que**rr***ás*	ha**br***ás*	ca**br***ás*
él/ella/usted	po**dr***á*	sa**br***á*	que**rr***á*	ha**br***á*	ca**br***á*
nosotros/as	po**dr***emos*	sa**br***emos*	que**rr***emos*	ha**br***emos*	ca**br***emos*
vosotros/as	po**dr***éis*	sa**br***éis*	que**rr***éis*	ha**br***éis*	ca**br***éis*
ellos/as/ustedes	po**dr***án*	sa**br***án*	que**rr***án*	ha**br***án*	ca**br***án*

VERBOS IRREGULARES – GRUPO 2

Para obtener la *raíz* del **futuro** de los verbos siguientes se sustituye la «**e** » o la «**i**» de la raíz del infinitivo con la letra «**d**».

	PONER	SALIR	TENER	VENIR	VALER
yo	pon**dr***é*	sal**dr***é*	ten**dr***é*	ven**dr***é*	val**dr***é*
tú	pon**dr***ás*	sal**dr***ás*	ten**dr***ás*	ven**dr***ás*	val**dr***ás*
él/ella/usted	pon**dr***á*	sal**dr***á*	ten**dr***á*	ven**dr***á*	val**dr***á*
nosotros/as	pon**dr***emos*	sal**dr***emos*	ten**dr***emos*	ven**dr***emos*	val**dr***emos*
vosotros/as	pon**dr***éis*	sal**dr***éis*	ten**dr***éis*	ven**dr***éis*	val**dr***éis*
ellos/as/ustedes	pon**dr***án*	sal**dr***án*	ten**dr***án*	ven**dr***án*	val**dr***án*

VERBOS IRREGULARES – HACER, DECIR

La raíz del **futuro** de estos dos verbos es completamente irregular.

	HACER	DECIR
yo	**har***é*	**dir***é*
tú	**har***ás*	**dir***ás*
él, ella, usted	**har***á*	**dir***á*
nosotros/as	**har***emos*	**dir***emos*
vosotros/as	**har***éis*	**dir***éis*
ellos/as/ustedes	**har***án*	**dir***án*

EL MODO CONDICIONAL

VERBOS REGULARES

	HABLAR	COMER	VIVIR
yo	hablar**ía**	comer**ía**	vivir**ía**
tú	hablar**ías**	comer**ías**	vivir**ías**
él, ella, usted	hablar**ía**	comer**ía**	vivir**ía**
nosotros/as	hablar**íamos**	comer**íamos**	vivir**íamos**
vosotros/as	hablar**íais**	comer**íais**	vivir**íais**
ellos/as/ustedes	hablar**ían**	comer**ían**	vivir**ían**

VERBOS IRREGULARES – GRUPO 1

Para obtener la *raíz* del **condicional** de los verbos siguientes se omite la «**e** »de la raíz del infinitivo.

	PODER	SABER	QUERER	HABER	CABER
yo	po**dr**ía	sa**br**ía	que**rr**ía	ha**br**ía	ca**br**ía
tú	po**dr**ías	sa**br**ías	que**rr**ías	ha**br**ías	ca**br**ías
él/ella/usted	po**dr**ía	sa**br**ía	que**rr**ía	ha**br**ía	ca**br**ía
nosotros/as	po**dr**íamos	sa**br**íamos	que**rr**íamos	ha**br**íamos	ca**br**íamos
vosotros/as	po**dr**íais	sa**br**íais	que**rr**íais	ha**br**íais	ca**br**íais
ellos/as/ustedes	po**dr**ían	sa**br**ían	que**rr**ían	ha**br**ían	ca**br**ían

VERBOS IRREGULARES – GRUPO 2

Para obtener la *raíz* del **condicional** de los verbos siguientes se sustituye la «**e** » o la «**i**» de la raíz del infinitivo con la letra «**d**».

	PONER	SALIR	TENER	VENIR	VALER
yo	pon**dr**ía	sal**dr**ía	ten**dr**ía	ven**dr**ía	val**dr**ía
tú	pon**dr**ías	sal**dr**ías	ten**dr**ías	ven**dr**ías	val**dr**ías
él/ella/usted	pon**dr**ía	sal**dr**ía	ten**dr**ía	ven**dr**ía	val**dr**ía
nosotros/as	pon**dr**íamos	sal**dr**íamos	ten**dr**íamos	ven**dr**íamos	val**dr**íamos
vosotros/as	pon**dr**íais	sal**dr**íais	ten**dr**íais	ven**dr**íais	val**dr**íais
ellos/as/ustedes	pon**dr**ían	sal**dr**ían	ten**dr**ían	ven**dr**ían	val**dr**ían

VERBOS IRREGULARES – HACER, DECIR

La raíz del **condicional** de estos dos verbos es completamente irregular.

	HACER	DECIR
yo	ha**r**ía	di**r**ía
tú	ha**r**ías	di**r**ías
él, ella, usted	ha**r**ía	di**r**ía
nosotros/as	ha**r**íamos	di**r**íamos
vosotros/as	ha**r**íais	di**r**íais
ellos/as/ustedes	ha**r**ían	di**r**ían

EL PLUSCUAMPERFECTO DE INDICATIVO

FORMACIÓN DEL PLUSCUAMPERFECTO

Se usa el **imperfecto** del verbo **haber** (utilizado como verbo **auxiliar**) y el **participio** de otro verbo.

	HABER	+	**PARTICIPIO**
yo	había		
tú	habías		
él, ella, usted	había		hablado / comido / vivido
nosotros/as	habíamos		
vosotros/as	habíais		
ellos/ellas/ustedes	habían		

FORMACIÓN DEL PARTICIPIO

conjugaciones:	1	2	3
infinitivos:	habl**ar**	com**er**	viv**ir**
participios:	habl***ado***	com***ido***	viv***ido***

Se elimina la terminación del infinitivo (–**ar,** –**er,** –**ir**) y se añade –**ado** a la 1ª. conjugación e –**ido** a la 2ª. y 3ª. conjugaciones.

EXCEPCIONES

infinitivo	participio	infinitivo	participio
abrir	**abierto**	morir	**muerto**
cubrir	**cubierto**	poner	**puesto**
descubrir	**descubierto**	romper	**roto**
decir	**dicho**	ver	**visto**
escribir	**escrito**	prever	**previsto**
describir	**descrito**	volver	**vuelto**
hacer	**hecho**	devolver	**devuelto**

EL CONDICIONAL PERFECTO

	HABER	+	**PARTICIPIO**
yo	habría		
tú	habrías		
él, ella, usted	habría		hablado / comido / vivido
nosotros/as	habríamos		
vosotros/as	habríais		
ellos/ellas/ustedes	habrían		

Ver arriba para la formación del participio y las excepciones.

EL PARTICIPIO

FORMACIÓN DEL PARTICIPIO

CONJUGACIONES:	1	2	3
INFINITIVOS:	habl**ar**	com**er**	viv**ir**
PARTICIPIOS :	habl***ado***	com***ido***	viv***ido***

Se elimina la terminación del infinitivo (–**ar,** –**er,** –**ir**) y se añade –**ado** (conjugación 1) e –**ido** (conjugaciones 2 y 3).

PARTICIPIOS IRREGULARES

abrir →	**abierto**	morir →	**muerto**
cubrir →	**cubierto**	poner →	**puesto**
descubrir →	**descubierto**	romper →	**roto**
decir →	**dicho**	ver →	**visto**
escribir →	**escrito**	prever →	**previsto**
describir →	**descrito**	volver →	**vuelto**
hacer →	**hecho**	devolver →	**devuelto**

Aparte de estas excepciones, hay algunos verbos que tienen dos participios, uno regular y otro irregular. Para la formación de los **tiempos compuestos (haber + participio)** se usan generalmente los **participios regulares** (con las excepciones de **frito**, e **impreso**). Los **participios irregulares** se utilizan como adjetivos. He aquí algunos de estos verbos.

infinitivo	**participio regular (haber + participio)**	**participio irregular (adjetivos)**
concluir	concluido	concluso
confundir	confundido	confuso
corregir	corregido	correcto
despertar	despertado	despierto
difundir	difundido	difuso
elegir	elegido	electo
excluir	excluido	excluso
extinguir	extinguido	extinto
freír	__________	***frito***
imprimir	__________	***impreso***
incluir	incluido	incluso
maldecir	maldecido	maldito
salvar	salvado	salvo
soltar	soltado	suelto

EL GERUNDIO

REPASO: El **gerundio** se combina con el auxiliar **estar** para formar la **forma progresiva**.

—¿Qué **estás haciendo**?
—**Estoy escribiendo** una carta.

FORMACIÓN DEL GERUNDIO

Conjugaciones	1	2	3
Infinitivos	habl**ar**	com**er**	viv**ir**
gerundios	habl**ando**	com**iendo**	viv**iendo**

Se elimina la **terminación** del infinitivo (–**ar**, –**er**, –**ir**) y se añade –**ando** (conjugación 1) y –**iendo** (conjugaciones 2 y 3).

LA FORMA PROGRESIVA

Estar – presente		+ Gerundio
yo	**estoy**	
tú	**estás**	
él, ella, usted	**está**	habl**ando** español.
nosotros/as	**estamos**	com**iendo** tacos.
vosotros/as	**estáis**	escrib**iendo** una carta.
ellos, ellas, ustedes	**están**	

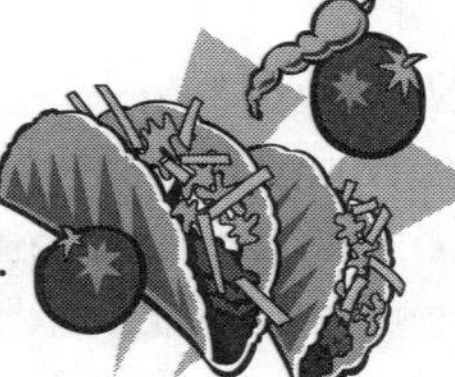

GERUNDIOS IRREGULARES

A) Si la raíz de un **infinitivo** de la **segunda** (–**er**) y de la **tercera** (–**ir**) conjugaciones termina en una **vocal**, la «**i**» de la terminación «**iendo**» cambia en «**y**».

leer →	le**y**endo	caer →	ca**y**endo	creer →	cre**y**endo
traer →	tra**y**endo	oír →	o**y**endo	huir →	hu**y**endo
constr**uir** →	constru**y**endo	excl**uir** →	exclu**y**endo	incl**uir** →	inclu**y**endo
constit**uir** →	constitu**y**endo	distrib**uir** →	distribu**y**endo	instr**uir** →	instru**y**endo

B) En los verbos con **irregularidades vocálicas** de la **tercera** conjugación (–**ir**) los cambios siguientes ocurren.

1) la «**e**» de la **raíz** (pedir) cambia en → «**i**».

pedir →	pidiendo	servir →	sirviendo	seguir →	siguiendo
conseguir →	consiguiendo	corregir →	corrigiendo	elegir →	eligiendo
despedir →	despidiendo	impedir →	impidiendo	invertir →	invirtiendo
repetir →	repitiendo	vestir →	vistiendo	divertir →	divirtiendo
mentir →	mintiendo	venir →	viniendo	decir →	diciendo

Además *reír, sonreír, reñir y teñir* pierden la «**i**» de la terminación «**iendo**».

reír →	riendo	sonreír →	sonriendo
teñir →	tiñendo	reñir →	riñendo

2) la «**o**» de la **raíz** (dormir) cambia en «**u**».

dormir →	durmiendo	morir →	muriendo

C) El gerundio de *poder* e *ir* es **irregular**.

poder →	pudiendo	ir →	yendo

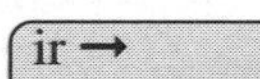

EL PRESENTE DE SUBJUNTIVO

VERBOS IRREGULARES

Para formar el **presente de subjuntivo** se toma la **primera persona singular** del **presente de indicativo** y se elimina la «**o**». Esto nos da la **raíz**, a la cual se añaden las **terminaciones** apropiadas.

	HABLAR	COMER	VIVIR
1ª. pers. sing. pres. de indicativo:	habl**ø**	com**ø**	viv**ø**
	habl**e**	com**a**	viv**a**
	habl**es**	com**as**	viv**as**
	habl**e**	com**a**	viv**a**
	habl**emos**	com**amos**	viv**amos**
	habl**éis**	com**áis**	viv**áis**
	habl**en**	com**an**	viv**an**

Nota que, con la excepción de la **primera persona singular**, en el presente de subjuntivo las **terminaciones** de la **primera conjugación** corresponden a las **terminaciones** de la **segunda conjugación** del **presente de indicativo** y que las **terminaciones** de los verbos de la **segunda** y **tercera conjugaciones** corresponden a las **terminaciones** de la **primera conjugación** del **presente de indicativo**.

caer (caigø)	caiga, caigas, caiga, caigamos, caigáis, caigan
conocer (conozcø)	conozca, conozcas, conozca, conozcamos, conozcáis, conozcan
decir (digø)	diga, digas, diga, digamos, digáis, digan
hacer (hagø)	haga, hagas, haga, hagamos, hagáis, hagan
oír (oigø)	oiga, oigas, oiga, oigamos, oigáis, oigan
poner (pongø)	ponga, pongas, ponga, pongamos, pongáis, pongan
salir (salgø	salga, salgas, salga, salgamos, salgáis, salgan
tener (tengø)	tenga, tengas, tenga, tengamos, tengáis, tengan
traer (traigø)	traiga, traigas, traiga, traigamos, traigáis, traigan
venir (vengø)	venga, vengas, venga, vengamos, vengáis, vengan
ver (veø)	vea, veas, vea, veamos, veáis, vean

VERBOS IRREGULARES

Si la **primera persona** del **presente de indicativo no** termina en «**o**», entonces el **presente de subjuntivo** es **irregular**. Nota que aunque la **raíz** es **irregular**, las **terminaciones** son **regulares**.

infinitivo	presente (ind.)	presente de subjuntivo (irregular)
dar	d**oy**	**dé**, **des**, **dé**, **demos**, **deis**, **den**
ir	v**oy**	vay**a**, vay**as**, vay**a**, vay**amos**, vay**áis**, vay**an**
ser	s**oy**	se**a**, se**as**, se**a**, se**amos**, se**áis**, se**an**
saber	**sé**	sep**a**, sep**as**, sep**a**, sep**amos**, sep**áis**, sep**an**
estar	est**oy**	est**é**, est**és**, est**é**, est**emos**, est**éis**, est**én**
haber*	he	hay**a**, hay**as**, hay**a**, hay**amos**, hay**áis**, hay**an**

PRESENTE DE SUBJUNTIVO
VERBOS CON IRREGULARIDADES VOCÁLICAS

Los verbos con **irregularidades vocálicas** de la *primera* y *segunda conjugaciones* (**-ar**, **-er**) sufren los mismos cambios en el *presente de subjuntivo* que en el *presente de indicativo.*

PRIMERA CONJUGACIÓN (–AR)

INDICATIVO	SUBJUNTIVO	INDICATIVO	SUBJUNTIVO
cerrar (e → ie)	cerrar (e → ie)	contar (o → ue)	contar (o → ue)
ci**e**rrø	ci**e**rre	cu**e**ntø	cu**e**nte
ci**e**rras	ci**e**rres	cu**e**ntas	cu**e**ntes
ci**e**rra	ci**e**rre	cu**e**nta	cu**e**nte
cerramos	cerremos	contamos	contemos
cerráis	cerréis	contáis	contéis
ci**e**rran	ci**e**rren	cu**e**ntan	cu**e**nten

CONJUGACIÓN DE OTROS VERBOS DE TIPO E → IE

pensar	piense, pienses, piense, pensemos, penséis, piensen
empezar	empiece, empieces, empiece, empecemos, empecéis, empiecen
comenzar	comience, comiences, comience, comencemos, comencéis, comiencen
sentarse	me siente, te sientes, se siente, nos sentemos, os sentéis, se sienten
despertarse	me despierte, te despiertes, se despierte, nos despertemos, os despertéis, se despierten
negar	niegue, niegues, niegue, neguemos, neguéis, nieguen
atravesar	atraviese, atravieses, atraviese, atravesemos, atraveséis, atraviesen
calentarse	me caliente, te calientes, se caliente, nos calentemos, os calentéis, se calienten
confesar	confiese, confieses, confiese, confesemos, confeséis, confiesen
nevar	nieve

CONJUGACIÓN DE OTROS VERBOS DE TIPO O → UE

almorzar	almuerce, almuerces, almuerce, almorcemos, almorcéis, almuercen
encontrar	encuentre, encuentres, encuentre, encontremos, encontréis, encuentren
mostrar	muestre, muestres, muestre, mostremos, mostréis, muestren
acostarse	me acueste, te acuestes, se acueste, nos acostemos, os acostéis, se acuesten
acordarse	me acuerde, te acuerdes, se acuerde, nos acordemos, os acordéis, se acuerden
jugar	juegue, juegues, juegue, juguemos, juguéis, jueguen
soñar	sueñe, sueñes, sueñe, soñemos, soñéis, sueñen
rogar	ruegue, ruegues, ruegue, roguemos, roguéis, rueguen

SEGUNDA CONJUGACIÓN (-ER)

INDICATIVO	SUBJUNTIVO	INDICATIVO	SUBJUNTIVO
perder (e → ie)	perder (e → ie)	poder (o → ue)	poder (o → ue)
pi**e**rdø	pi**e**rda	pu**e**dø	pu**e**da
pi**e**rdes	pi**e**rdas	pu**e**des	pu**e**das
pi**e**rde	pi**e**rda	pu**e**de	pu**e**da
perdemos	perdamos	podemos	podamos
perdéis	perdáis	podéis	podáis
pi**e**rden	pi**e**rdan	pu**e**den	pu**e**dan

CONJUGACIÓN DE OTROS VERBOS DE TIPO E → IE

entender	ent**ie**nda, ent**ie**ndas, ent**ie**nda, entendamos, entendáis ent**ie**ndan
defender	def**ie**nda, def**ie**ndas, def**ie**nda, defendamos, defendáis, def**ie**ndan
querer	qu**ie**ra, qu**ie**ras, qu**ie**ra, queramos, queráis, qu**ie**ran

CONJUGACIÓN DE OTROS VERBOS DE TIPO O → UE

doler*	d**ue**la, d**ue**las, d**ue**la, dolamos, doláis, d**ue**lan
mover	m**ue**va, m**ue**vas, m**ue**va, movamos, mováis, m**ue**van
volver	v**ue**lva, v**ue**lvas, v**ue**lva, volvamos, volváis, v**ue**lvan
llover	ll**ue**va

* doler (como el verbo gustar) se utiliza sobre todo en la tercera persona.
Dudamos que al jugador le **duela** la espalda.
Es posible que de tanto andar le **duelan** las piernas.

TERCERA CONJUGACIÓN (-IR)

Los verbos con **irregularidades vocálicas** de la tercera conjugación se dividen en tres categorías.

CATEGORÍA 1

INDICATIVO	SUBJUNTIVO
sentir (**e → ie**)	sentir (**e → ie, i**)
sientø	**sie**nta
sientes	**sie**ntas
siente	**sie**nta
sentimos	s*i*ntamos
sentís	s*i*ntáis
sienten	**sie**ntan

CONJUGACIÓN DE OTROS VERBOS DE TIPO E → IE, I

pref*e*rir	pref**ie**ra, pref**ie**ras, pref**ie**ra, pref*i*ramos, pref*i*ráis, pref**ie**ran
m*e*ntir	m**ie**nta, m**ie**ntas, m**ie**nta, m*i*ntamos, m*i*ntáis, m**ie**ntan
div*e*rtirse	me div**ie**rta, te div**ie**rtas, se div**ie**rta, nos div*i*rtamos, os div*i*rtáis, se div**ie**rtan

CATEGORÍA 2

INDICATIVO	SUBJUNTIVO
dormir (**o → ue**)	dormir (**o → ue, u**)
d**ue**rmø	d**ue**rma
d**ue**rmes	d**ue**rmas
d**ue**rme	d**ue**rma
dormimos	d*u*rmamos
dormís	d*u*rmáis
d**ue**rmen	d**ue**rman

morir se conjuga como *dormir*:

m**ue**ra, m**ue**ras, m**ue**ra, m*u*ramos, m*u*ráis, m**ue**ran

CATEGORÍA 3

INDICATIVO	SUBJUNTIVO
pedir (**e → i**)	pedir (**e → i**)
p**i**dø	p**i**da
p**i**des	p**i**das
p**i**de	p**i**da
pedimos	p*i*damos
pedís	p*i*dáis
p**i**den	p**i**dan

CONJUGACIÓN DE OTROS VERBOS DE TIPO E → I

corregir	corr**ij**a, corr**ij**as, corr**ij**a, corr**ij**amos, corr**ij**áis, corr**ij**an
despedir	desp**i**da, desp**i**das, desp**i**da, desp**i**damos, desp**i**dáis, desp**i**dan
elegir	el**ij**a, el**ij**as, el**ij**a, el**ij**amos, el**ij**áis, el**ij**an
repetir	rep**i**ta, rep**i**tas, rep**i**ta, rep**i**tamos, rep**i**táis, rep**i**tan
servir	s**i**rva, s**i**rvas, s**i**rva, s**i**rvamos, s**i**rváis, s**i**rvan
vestir	v**i**sta, v**i**stas, v**i**sta, v**i**stamos, v**i**stáis, v**i**stan
seguir	s**i**ga, s**i**gas, s**i**ga, s**i**gamos, s**i**gáis, s**i**gan

PRESENTE DE SUBJUNTIVO
VERBOS CON CAMBIOS ORTOGRÁFICOS

VERBOS QUE TERMINAN EN –CAR, –GAR, –ZAR

	SACAR	PAGAR	EMPEZAR
1ª pers. sing. presente de indic.	sacø	pagø	empiezø
	saque	pague	empiece
	saques	pagues	empieces
	saque	pague	empiece
	saquemos	paguemos	empecemos
	saquéis	paguéis	empecéis
	saquen	paguen	empiecen

OTROS VERBOS QUE TERMINAN EN –CAR

tocar	toque, toques, toque, toquemos, toquéis, toquen
buscar	busque, busques, busque, busquemos, busquéis, busquen
colocar	coloque, coloques, coloque, coloquemos, coloquéis, coloquen
embarcar	embarque, embarques, embarque, embarquemos, embarquéis, embarquen
significar	signifique, signifiques, signifique, signifiquemos, signifiquéis, signifiquen

OTROS VERBOS QUE TERMINAN EN –GAR

legar	llegue, llegues, llegue, lleguemos, lleguéis, lleguen
entregar	entregue, entregues, entregue, entreguemos, entreguéis, entreguen
juzgar	juzgue, juzgues, juzgue, juzguemos, juzguéis, juzguen
jugar	juegue, juegues, juegue, juguemos, juguéis, jueguen
negar	niegue, niegues, niegue, neguemos, neguéis, nieguen
rogar	ruegue, ruegues, ruegue, roguemos, roguéis, rueguen

OTROS VERBOS QUE TERMINAN EN –ZAR

comenzar	comience, comiences, comience, comencemos comencéis comiencen
gozar	goce, goces, goce, gocemos, gocéis, gocen
almorzar	almuerce, almuerces, almuerce, almorcemos, almorcéis, almuercen
organizar	organice, organices, organice, organicemos, organicéis, organicen
alcanzar	alcance, alcances, alcance, alcancemos, alcancéis, alcancen

IMPERFECTO DE SUBJUNTIVO

Para formar el **imperfecto de subjuntivo** se toma la **tercera persona plural** del **pretérito de indicativo**, se elimina **–ron** y se añaden las terminaciones apropiadas.

	habl**ar**	com**er**	viv**ir**
3ª. pers. plur. del pretérito de indicativo	habla***ron***	comie***ron***	vivie***ron***

IMPERFECTO DE SUBJUNTIVO

(que) yo	habla*ra*	comie***ra***	vivie***ra***
(que) tú	habla*ras*	comie***ras***	vivie***ras***
(que) usted/él/ella	habla*ra*	comie***ra***	vivie***ra***
(que) nosotros/as	hablá*ramos*	comié***ramos***	vivié***ramos***
(que) vosotros/as	habla*rais*	comie***rais***	vivie***rais***
(que) ustedes/ellos/ellas	habla*ran*	comie***ran***	vivie***ran***

¡OJO! Fíjate que las terminaciones de las tres conjugaciones son iguales.

Nota el uso del acento ortográfico en la raíz de la primera persona plural (habl**á**ramos / comi**é**ramos / vivi**é**ramos para mantener la misma pronunciación.

Existen también terminaciones paralelas para las tres conjugaciones:
–se, –ses, –se, –semos, –seis, –sen) pero estas terminaciones son menos frecuentes.

PRETÉRITO PERFECTO DE SUBJUNTIVO

El **pretérito perfecto de subjuntivo** se forma usando el *presente de subjuntivo* del auxiliar *haber* y el *participio*.

		HABER	**PARTICIPIO**
...(que)	yo	haya	
...(que)	tú	hayas	
...(que)	él, ella, usted	haya	hablado / comido / vivido
...(que)	nosotros/as	hayamos	
...(que)	vosotros/as	hayáis	
...(que)	ellos, ellas, ustedes	hayan	

Para la formación del participio ver la página 148.

LA VOZ PASIVA

FORMACIÓN DE LA VOZ PASIVA

La voz **pasiva** se forma con el **tiempo apropiado** del verbo **ser** y el **participio**.
(ver la pág. 149 para la formación del participio)

VOZ ACTIVA	VOZ PASIVA
Presente Ana **abre** la caja fuerte.	**Presente** La caja fuerte **es abierta** por Ana.
Pretérito Ana **abrió** la caja fuerte.	**Pretérito** La caja fuerte ***fue*** **abierta** por Ana.
Pretérito Perfecto Ana **ha abierto** la caja fuerte.	**Pretérito Perfecto** La caja fuerte ***ha sido*** **abierta** por Ana.
Futuro Ana **abrirá** la caja fuerte.	**Futuro** La caja fuerte ***será*** **abierta** por Ana.

SER – VOZ ACTIVA

presente	pretérito	pretérito perfecto	futuro
soy	fui	he sido	seré
eres	fuiste	has sido	serás
es	fue	ha sido	será
somos	fuimos	hemos sido	seremos
sois	fuisteis	habéis sido	seréis
son	fueron	han sido	serán

EL PLUSCUAMPERFECTO DE SUBJUNTIVO

El **pretérito perfecto de subjuntivo** se forma usando el *presente de subjuntivo* del auxiliar *haber* y el *participio*.

	HABER	PARTICIPIO
...(que) yo	hubiera	
...(que) tú	hubieras	
...(que) él, ella, usted	hubiera	hablado / comido / vivido
...(que) nosotros/as	hubiéramos	
...(que) vosotros/as	hubierais	
...(que) ellos, ellas, ustedes	hubieran	

Para la formación del participio ver la página 148.